JN070179

井上正康

第1章　新型コロナとは何だったのか？

第2章 PCR検査の弊害

第3章　コロナワクチンの正体と今後の視野

松田 学

第4章 新型コロナに、政治はどう向き合ってきたのか？

第5章　疲弊した日本経済をどう立て直すのか？

第6章　コロナ禍に翻弄された日本はこれからどうなるのか？

はじめに

世界中を狂乱させている新型コロナのパンデミックも2年目に入りましたが、欧米に比べてウイルスの実害がはるかに少なかった日本では、いまだに深刻な人災被害が猛威を振るい続けています。新型コロナも昨年の春頃までは〝スペイン風邪並みの強毒病原体〟と思われていましたが、その後の経過を俯瞰的に分析した結果、〝感染力は強いが病原性は意外と低い季節性風邪ウイルス〟であることが判明しました。しかし、視聴率を最優先するメディアが煽った恐怖心が世界中で過剰反応を暴走させ、ウイルスの実害よりもはるかに大きな人災被害を出しています。

病原体は人類永遠の宿敵であり、ヒトはその脅威と戦いながら今日まで生き延びてきました。この〝恐怖心〟は脳の潜在意識に深く刻まれながら、危険な行動を抑制するリスク回避機能へと進化してきました。しかし、今回のコロナ騒動ではこの無意識的生存機能が過剰反応して暴走し、未曾有の人災被害を深刻化させてきました。これまでの分子病態学的解析により新型コロナの実像が詳しく解明され、今では相当部分が〝既知のウイルス〟になりました。新型コロナは旧型ウイルスよりも感染力が約6倍強くなった病原体であり、〝トロイの木馬〟のようにすでに人々の生活の奥深くまで広く浸透しています。

無数の人々がジェット機などで世界中を駆け巡るグローバル社会では、超高速のステルス戦闘機のように感染力が強くて毒性の低い新型ウイルスに対して、国境封鎖、自粛、3密回避、8割減などがすべて無効であることが世界的に証明されました。一方、メディアの偏った報道により、日本政府や自治体はいまだに不確かなPCR陽性数の増減に一喜一憂しながら迷走し続け、長引く自粛生活により国民が〝一億総コロナ脳〟に罹り、社会的同調圧が病的なマスクヒステリーまで暴走させています。魔女狩り的政策の犠牲にされた飲食業界をはじめ、ホテルや零細企業の多くが瀕死の状態に陥り、疲弊した国民は安全性が確認されていないコロナワクチンに希望を抱くように誘導されました。

失敗しないことを目標としてきた日本の厚生労働省は責任回避のプロ組織であり、政治家の多くは支持率や世論に絡め取られて正しい政策を展開できないジレンマに陥っています。大変残念ながら、今では政府や自治体の不条理な不作為が国民に対する深刻な病原体と化しつつあります。これに対して国民は、正しい知識で免疫的に武装して自主防衛せざるをえません。それには、変異し続ける無数のコロナウイルスに対して適度な暴露と軽度の感染を繰り返しながら、発症しても重症化しない免疫抵抗力を強化し続けることが大切です。このような〝痛み分け的動的平衡〟こそがコロナ禍の収束的着地点となります。

そのためには屋外での適度な運動、バランスのよい食事、精神的リラックスなどの平凡な日常生活が特効薬であり、自粛強要やステイホーム政策はそれに逆行する免疫弱体化政策です。政府としては〝マスクのいらない免疫強化国民運動〟を推進してほしいものです。

すでに、多くの国民がコロナウイルスに不顕性感染している日本では、ワクチンを接種したのと同様の免疫状態になっています。新型コロナに対する血中抗体の寿命は短いので、ワクチンを接種してもしなくても、毎冬の年次行事のように新型風邪が流行ることになります。このためにガンや糖尿病などで治療中の高齢免疫弱者は少し注意される必要があります。しかし、健康な方々は大半が無症状の不顕性感染者であり、万一発症しても免疫記憶が速やかに蘇り、数日寝ていれば自然に回復します。大半の国民は安心して仕事や勉強に励み、人災で失われた人生を取り戻しながら若い世代に豊かな日本の文化的生活を継承することが大切です。

アフターコロナは日本にとって大きなチャンスの時代になると思います。このことを象徴するのが、本書でも触れることになる自然免疫と獲得免疫という「二重の神風」です。これが多くの日本人を新型コロナウイルスから守り、世界の大半の国々で大きく増えた2

020年の超過死亡数が、日本については大きく減ることにもなりました。そのような日本だからこそ、私たち日本人自身がコロナの真実をもっとよく知ることで、アフターコロナの世界に向けて大きな役割を果たせる国になるような気がしてなりません。

今回のコロナ禍が地球社会に突き付けたのも、21世紀のさまざまな課題の解決で求められているのが、実は日本的な価値観に基づく知恵なのだということではないかと感じます。地球文明が大きく転換する世紀だとされる21世紀にあって、これからの世界文明をリードするのは、コロナから経済的にいち早く立ち直った中国ではなく、日本ではないか、意識を少し変えるだけで、私たちはそれができる位置にいるのではないか……。

そのような意味も踏まえて、本書の執筆にあたっては、今回の新型コロナ騒動を政治や経済なども含めた多角的な視点から論じてみることが、多くの国民にコロナ脳を克服する知恵と、時代を前へと進める勇気を与えることにつながるのではないかと考えました。

そこで今回、医学を専門とする井上正康と、政治経済を専門とする松田学が世界中の医学論文や政治経済情報に基づき日本コロナの本質を俯瞰的に分析し、激動するポストコロナ時代の羅針盤となる『新型コロナが本当にこわくなくなる本』を上梓することになりました。本書がみなさまの健康な日常生活を取り戻し、日本の子供たちの未来を守る防波堤的処方箋となることを心から願っています。

井上正康
松田　学

井上正康

第1章

新型コロナとは何だったのか？

〝感染力の強い季節性の風邪〟が流行した年だった

２０２０年初冬から新型コロナウイルスの〝感染者〟が増加し、１年後の年明けにピークを迎えました。世間的には〝第３波〟が来たと大騒ぎになり、政府はマスコミと世論に押される形で２０２１年１月７日に２回目の緊急事態宣言を首都圏の１都３県に発出し、その後に宣言を関西、中部、福岡、栃木にも拡大しました。１年近くにわたる自粛にあえいでいた日本経済は、さらにダメージを受けることになりました。

この〝第３波〟と呼ばれて大騒ぎしている現象は、コロナウイルスの特性からすると至極当たり前のことが起こっていると考えられます。その理由は、冬には私たちの免疫力が低下し、逆に新型コロナのようなＲＮＡウイルスの遺伝子は低温低湿の環境で安定なことがわかっているからです。

インフルエンザウイルスもＲＮＡウイルスの仲間なので、低温低湿の冬に安定になります。だから毎年冬になるとインフルエンザが流行したり、風邪を引きやすくなったりします。これは人類とＲＮＡウイルスが、何百年、何千年と繰り返してきた出来事なのです。

昨年10月に刊行した『本当はこわくない新型コロナウイルス』（方丈社）という本の中

で、私は新型コロナは「季節性の風邪ウイルス」だと述べました。インフルエンザや季節性の風邪は、例年冬のはじめから少しずつ感染が広がり、1月〜2月の厳寒期にピークを迎え、桜の季節とともに収束していきます。新型コロナも低湿低温で安定なことが報告されています。実際、２０２０〜２１年の冬の〝コロナ風邪〟も同じような流行カーブを描きました。

日本人が子供の頃から罹(か)かってきた風邪の病原体の一つが、コロナウイルスです。日本を含めた東アジアには、大きく分けて4種類が土着コロナとして根づいていました。私たちは、毎年のようにこれらのコロナウイルスにさらされながら免疫力で戦ってきました。言ってみれば、毎年免疫の〝軍事訓練〟を重ねてきたのです。

たとえば、今から約１３０年前、１８９０年代に世界で１００万人もの死者を出した感染症がありました。現在、このときの原因ウイルスが「HCoV-OC43」というコロナウイルスの仲間であったと推定されています。

当時の世界人口は14億人くらいですから、１００万人という数は大きなインパクトがあったと思われます。しかし、はじめは高かった致死率が流行を繰り返すたびに次第に低下していき、やがて毎年冬になると流行する〝普通の風邪〟に落ち着いてきました。

成人の多くがOC43に対する免疫力を持ち、ウイルスが体内に入っても排除し、仮に感染しても軽症で治癒するようになっていきました。新型コロナも、近いうちに同じような道をたどることになるでしょう。

日本人はコロナウイルスに対する免疫を持っている

ヒトに感染するコロナウイルスは、この「HCoV-OC43」を含めて「HCoV-229E」「HCoV-NL63」「HCoV-HKU1」という4種類が知られていました。これに加え、2002年にサーズ（SARS-CoV）、2012年にマーズ（MERS-CoV）、そして2019年に今回の新型コロナ（SARS-CoV-2）が誕生して、7種類のグループが知られています。

ここで注目したいのが、「ウイルスの受容体」です。ウイルスがヒトに感染するためには、ヒトの組織の細胞の表面にある受容体（特定の物質と結合して細胞に影響を与えるタンパク質）と結合し、それを介して細胞内に侵入するというプロセスが必要です。

ウイルスの種類によって受容体は異なります。たとえば、インフルエンザA型ウイルス、土着コロナウイルスの「HCoV-OC43」や「HCoV-HKU1」は、Ｎ-アセチルノイラミン酸（シアル酸）という糖鎖分子が受容体です。「HCoV-229E」ではアミノペプチダーゼ（ＡＰＮ酵素）が受容体です。

新型コロナウイルスの場合、腸管や肺の血管細胞にあるＡＣＥ２というタンパク質が受容体です。実は、土着コロナの仲間であるHCoV-NL63の受容体も新型コロナと同じＡＣＥ２であることがわかっています。新型コロナウイルスも土着コロナウイルスNL63も同じ血管内皮の受容体を介して感染する――すなわち、従来の土着風邪コロナウイルスの一部も新型コロナウイルスと同じメカニズムで風邪を引き起こしていたことを意味します。

新型コロナと土着コロナの遺伝子は約50％の相同性（ホモロジー）を有することから、両者の基本的構造は類似しています。コロナウイルスの表面にはスパイクタンパク質という突起があります。この突起が受容体（新型コロナの場合はＡＣＥ２）と結合することで感染が始まります。スパイクタンパク質はアミノ酸が鎖のようにつながった構造をしており、その先頭部分を「Ｎ末端」と呼びます。

土着コロナと新型コロナのスパイクの構造も類似しており、Ｎ末端部分に対する抗体は両者に結合してウイルスを中和します。このような反応を「交差免疫反応」と呼びます。

東アジアの民族は、土着コロナと長年つきあってきましたので、交差免疫反応を介して新型コロナウイルスに対しても、ある程度の抵抗力を有する集団が多いと考えられます。

このことは、日本国内での新型コロナの罹患率にも現れています。生まれたときから日本で生活している日本人と、海外から来られた外国人の比率は、現在約50：1くらいです。ところが、1500人以上の新型コロナウイルス罹患者を調べてみると、外国人のほうが14倍も罹患しやすかったとの調査があります。土着コロナに慣れ親しんだ日本人のほうが、海外から日本に来た人たちよりもコロナに対する抵抗力を持っていたと言えるのです（2020年厚生労働省HPより）。

同じように、ペストの流行と何度も戦ってきたヨーロッパにはペストに強い遺伝子を持つ集団が多く住んでいます。

突然変異で感染力が増強した

今回の新型コロナウイルスは、もともとはコウモリ由来の弱毒型でしたが、スパイクに突然変異が起こったことで感染力が増強し、これがパンデミックを引き起こした大きな要因になっています。

スパイクの先端が古い型ではアスパラギン酸というマイナス荷電のアミノ酸でしたが、これが突然変異により、グリシンという中性で荷電のないアミノ酸に変わりました。これによって、スパイクの数が5倍に増加すると同時に、受容体への結合力も9倍強くなったのです。

スパイクタンパク質の先端部分のマイナス荷電が消失して分子の構造や表面の性質が変わり、これによりＡＣＥ2受容体との結合力も強くなります。スパイクの数の増加と受容体との結合力の強化で、最終的な感染力が約6倍高まりました。これが、今回の新型コロナウイルスがパンデミックになった分子レベルのメカニズムと考えられます。

変異速度が速いＲＮＡウイルスの変異株は今後も誕生し続ける

2020年秋にイギリスで見つかった変異株は、これまでの新型ウイルスよりも1・7

倍の感染力を持つと言われています。新型ウイルス自体が6倍の感染力ですから、初期の型に比べると約10倍強くなったことになります。

6倍の感染力でも一気に世界中に蔓延(まんえん)したので、10倍ならさらに感染速度が加速されます。したがって、今後はこのような変異株が世界の主流になりながら、2021~22年にも感染が広がる可能性があります。

イギリスの他に南アフリカや南米でも新たな変異株が見つかったと報告されています。変異株がどこで生まれたかとは関係なく、感染力の強い（感染スピードの速い）株が世界を席巻していくのです。

しかも、変異株は海外からやってくるとは限りません。常に変異を繰り返すのが不安定なRNAウイルスの特徴です。新型コロナは約2週間に1回のスピードで変異が起こっていると言われており、日本でもさまざまな変異株が誕生しています。

私たちはこれまで、〝感染症は常に海外からやってくる〟と考えていました。だから検疫を行い、感染を防ぐために国境封鎖などをしてきました。しかし、グローバルな時代には突然変異により、どこにでも変異株が誕生しうると考えるべきです。日本の中でも新しい変異株が生まれている可能性は十分にあるのです。

今回の新型ウイルスは、感染から発症までに少し長い潜伏期間があり、無症状の人が多いことに加え、スパイクの変異によりモノの表面でも比較的長期間感染力を維持できる（モノを介しても感染可能）などの特徴があります。このような特色から、国境封鎖やロックダウンをしても感染を防ぐことができなかったことが世界中で明らかになりつつあります。

日本でもすでにイギリスや南米の新型変異株が国内に広がっており、さまざまな場所でさまざまな変異株がランダムに生まれていると考えられます。

ウイルスは非生物的な分子集団ですが、存在し続けるために遺伝子変異を繰り返していきます。一方、ヒトはウイルスや病原菌から身を守るために抗体を作って免疫力を高めます。

ヒトとウイルスは永遠の軍拡競争を繰り広げながら「痛み分け的に共存」

ウイルスは細胞ではないので、自己増殖することができません。そこで、他の生物の細胞内に侵入し、その細胞が持つ遺伝子複製機能を使って自分のコピーをつくらせ、それによって増殖していきます。

その結果、侵入した細胞の生理機能にさまざまな影響を与え、増殖後に細胞を破壊して出ていくので悪影響を与えます。このとき、生体に与えるダメージが大きすぎると、宿主が重症化し、運が悪ければ生命を奪われてしまいます。そうすると、ウイルス自身も次の宿主にたどり着けなくなり、存在できなくなります。致死率の高いＳＡＲＳなどはその例です。

長期的に見れば、平和共存して宿主を殺さないほうが、ウイルスの〝生存戦略〟としては優れていることになります。感染力を高めながら弱毒化する――これが彼らの究極の生存戦略です。この際にウイルスに対する宿主の免疫力も強化され、多くの感染症は動的平衡で収束していきます。

ウイルスを完全に排除することは不可能です。そもそもヒトの遺伝子の約30％はウイルスの遺伝子に由来しています。このように、ヒトとウイルスは太古から共存共栄してきたのです。コロナウイルスと人間も、「痛み分け的共存」が、最も現実的な着地点です。「ゼロコロナ」や「ウィズアウトコロナ」などと主張することは、ウイルスとヒトの進化の歴史を無視した空論に他なりません。

新型コロナの病態は血栓症

新型コロナウイルスに感染すると、どのような症状が引き起こされるのでしょうか。

先ほど述べた通り、今回の新型コロナの受容体はアンギオテンシン変換酵素（ＡＣＥ２）という酵素タンパク質です。ＡＣＥ２は主にヒトの血管壁にあり、血圧を制御する働きがあることが古くから知られていました。

コロナと血圧には特段の関係はないのですが、今回、新型コロナのスパイクがこのＡＣＥ２に結合することが明らかになりました。

血管の壁にあるＡＣＥ２にウイルスが結合するとスパイクタンパクが酵素により分解され、ウイルス膜と細胞膜が融合してウイルスのＲＮＡ遺伝子が細胞内に注入されます。注入された遺伝子が細胞の遺伝子複製機能を利用して自らのコピーを増産し、細胞膜上にスパイクタンパクを合成します。スパイクを持つ新たな細胞膜をかぶったウイルスが細胞外へ飛び出します。その際に血管の細胞が破壊されますので、その障害部位を覆うために血液が凝固して血栓ができます。

ＡＣＥ２は、気道粘膜よりも小腸や大腸などの消化管や胆嚢(たんのう)に最も多く存在します。ウイルスが消化管の血管壁に感染して生じた血栓は、門脈を通って肝臓に到達します。肝臓には腸からくる門脈とは別に、心臓から動脈で直接血液が流れてきます。このために、門脈から流れて来た血栓で多少血管が詰まっても、肝臓の細胞障害は比較的軽く経過します。しかし、多少のダメージはありますので、肝臓の逸脱酵素（本来は肝細胞内で働いている酵素が細胞障害で血液中に流出したもの）が増えたり、腫瘍マーカーの値が上がるなどの症例が報告されています。

肝臓をすり抜けた小さな血栓が肺に集まり、肺の血管に詰まります。新型コロナの感染者では大半が無症状で気がつかずに経過します。しかし、この段階で肺のＣＴ検査を行うとスリガラス状の画像が観察されます。これは肺の予備能が高いので、血栓が多少詰まっても息苦しさを感じないからです。一方、インフルエンザでも同様のスリガラス状の画像が見られて間質性肺炎と診断されます。しかし、インフルエンザの場合は肺組織での強い炎症反応が主体であり、大半の患者さんは高熱や息苦しさなどで辛い思いをされます。これがインフルエンザで毎年多くの方が亡くなられる理由です。新型コロナの感染者でも、重症化してサイトカインストームと呼ばれる状態になれば、肺が多くの血栓で詰まって呼吸が苦しくなり、ＩＣＵで人工呼吸器を用いて酸素を送り込むガス交換が必要となります。しかし、新型コロナの重症患者では血栓で肺血管が塞がれているので、人工呼吸器では十分なガス交換ができず、ＥＣＭＯと呼ばれる対外循環によるガス交換が必要になります。これはさまざまな原因で起こる重篤なサイトカインストームでよく見られる共通の病態であり、特に新型コロナの重症患者に特有ではありません。

風邪の新たな治療法が発見される可能性がある

新型コロナの感染によって誘起された間質性肺炎像が消化管で生じた血栓が原因であるという発見は、今回の重要な医学的成果の一つです。

というのは、このウイルスが感染拡大を始めた当初は、インフルエンザと同じような肺炎と誤解されていたからです。

インフルエンザウイルスの受容体は、気管支粘膜や肺胞細胞の表面に多く存在するシアル酸という糖タンパク質です。インフルエンザは気管支や肺胞の内側から感染することで肺炎を誘起するのです。

息苦しいという症状は両者で似ており、ＣＴ検査を行えば同じようにスリガラス状の間質性肺炎の所見が得られます。しかし、インフルエンザと異なり、新型コロナの間質性肺炎像は血栓が原因で起こっているのです。

これは、新型コロナウイルスの受容体がＡＣＥ２であることが判明して明らかになった事実です。これまで風邪の病態やメカニズムに関しては、わからないことが多くありました。今回の新型コロナの病態解析により、従来のコロナ風邪の病態の一部が明らかとなり、今まで特効薬がなかったこじれた風邪の治療法も血栓症に対する視点から大きく進歩する可能性があります。

たとえば、日本人や韓国人などアジア系の小児に多い川崎病の原因はこれまでよくわかっていませんでした。この病気は「小児急性熱性皮膚粘膜リンパ節症候群」とも呼ばれ、全身の血管に炎症が起こり、手や足の指先から皮膚がむける病気で、重症例では心臓の冠動脈が障害されることがあります。

今回、２０２０年にヨーロッパでも新型コロナウイルスに感染した子供に川崎病に似た症状が多発しているとの報告が相次ぎました。これはＡＣＥ２受容体に新型コロナウイルスが感染した結果、全身の血管炎が起こったと考えられます。このヨーロッパでの症例報告は、川崎病の発症機序にウイルス性血管炎が関与する可能性を示唆しています。昨年の4月までに米国で多くの川崎病に似た症状の子供が見つかり、ＮＹだけでも約２３０人が報告されています。

この病気は日本人医師の川崎富作博士が１９６７年に発見し、日本では毎年５０００～1万人以上が発症しています。今回の新型コロナでは10歳以下の感染や発症例がきわめて少ないことが知られており、厚生労働省の国内調査でも新型コロナと川崎病の関連性は認められていません。これらのことから、アジアに多いウイルスによる血管炎が原因である可能性も考えられ、今後の重要な研究課題です。

後遺症について

今回、コロナ感染症から回復した人に、さまざまな後遺症があることが伝えられています。その一つが症状回復後にも残る疲労感や倦怠（けんたい）感です。しかし、これらの症状はこれまでの風邪でも頻繁に見られています。新型コロナウイルスの感染力が6倍も増強したために、自覚症状として気がつきやすくなったことから、後遺症として注目されている可能性があります。

脳の血管にもＡＣＥ２受容体が多く、前頭葉前野にはうつ病や慢性疲労症候群と関係深い疲労中枢があります。

この近辺で血栓による血液循環障害やエネルギー代謝障害が起こると、セロトニンの代謝が影響されて疲労を感じる可能性があります。これまではっきりしなかった風邪の病態や後遺症についても、血栓を軸とした血管障害の観点から新しい治療法が見出される可能性があります。

血栓ができると、これを溶かすタンパク質分解酵素の代謝が活性化されます。血栓を形成する酵素も蛋白分解酵素なので、これらに対する特異的阻害剤を利用することで血栓ができにくくなります。従来の治療法とはまったく異なる視点で風邪の重症化を予防治療する新たな道が開けてくる可能性があります。

いずれにしろ、コロナウイルスのＡＣＥ２受容体がある血管壁が感染の場になっていることから、それをターゲットにした新たな治療法が開発されてくると考えられます。

感染防御は基本的作業で十分

新型コロナウイルスが登場して1年以上が経ちました。この間に、最新のゲノム科学によってスパイク蛋白や受容体の分子特性が明らかになり、多くの症例を調査した臨床症状や免疫特性についても詳しいことが明らかになりつつあります。今では新型コロナウイルスも相当部分が明らかになった既知のウイルスとなりつつあり、もはや〝新型ウイルス〟でも〝未知ウイルス〟でもありません。

もちろん、不明な点も残されていますが、政府や専門家がいまだに「正体がわかっていない新興感染症として右往左往していること」は理解に苦しみます。指定感染症の分類の問題には後の章で触れますが、ここでは私たちがどういう点に気をつけて行動すればよいかについて述べておきます。

ウイルス対策の基本は「感染予防」と「免疫強化」です。

感染予防は、まずウイルスを体内に侵入させないことです。よく言われている「手洗い」や「うがい」です。私はこれに「鼻洗浄」と「トイレの清掃」を加えてお伝えしています。

ウイルスに暴露したからといって、すぐさま感染するわけではありません。手洗い、うがい、鼻洗浄、トイレ清掃を朝夕励行すれば、ウイルスや病原菌もそうやすやすとはヒトの体内に侵入できないのです。これらの対策は、コロナウイルスに限らず、インフルエンザやノロウイルスなど、他のウイルスに対しても大変有効です。朝夕に普通に行えば大半の病原体に対する予防法になります。

今回の新型コロナに対しても、これ以上の感染予防対策は過剰です。新型コロナウイルスの体内への入口は鼻や口ですが、その感染受容体は口腔粘膜や気管などよりも圧倒的に消化管に多く、便を介して糞口感染する可能性が早くから示唆されていました。その重要性に気づかず、呼気や唾液による感染ばかりを過大評価して対策を進めていることが、効果が上らない最大の理由と考えられます。

社会にダメージを与える過剰な対策は逆効果

いまだに「3密回避」がヒステリックに叫ばれていますが、これは「同じ時間に、同じ場所にいることで感染する」という考え方に基づいています。「接触8割減」「休校措置」

「リモートワーク」「時差出勤」「ロックダウン」なども同じ考え方です。これらの感染予防対策が世界中で失敗してきた主な理由はここにあります。新型コロナでは「同じ時間、同じ場所にいる」だけが感染ルートではないからです。今回のウイルスは、身の回りにあるモノの表面に付着した状態でも、比較的長い期間感染力を維持しています。ガラス、ナイロン、バッグ、発泡スチロール、ダンボール、コンクリート、紙（紙幣）……などなど。スマートフォンの表面にもウイルスはたくさん付着しています。N95マスクの表面でも、最大2週間ほど感染力を維持していることがわかっています。

特に冬場の低温低湿の環境下では感染力を長時間維持できます。逆に高温多湿では短時間で感染力を失います。これが冬に流行する季節性RNAウイルスの特徴なのです。

つまり、「同じ時間に同じ場所に人がいなくても感染する」のです。特に、前日までに公衆トイレの便座や内側のドアノブなどにウイルスが付着しておれば、自分1人だけでも感染力のあるウイルスが手などに付着する可能性があります。新型コロナの感染には時差があり、これが「3密回避」の効果がほとんどなかった主な理由です。

最もひどいのは、飲食店に対する自粛や時短要請です。あたかも人との飲食が感染拡大の最大の原因であるかのように言われています。しかし、それはメディアや専門家による印象操作によるものであり、これを証明するデータはありません。

事実、自治体のデータでは、一番多いのが家庭内感染（約20％以上）です。次が病院や老人施設などであり、3～5番目以降はずっと下がって僅差で教育現場、飲食店（約5％）、職場……と続きます。当初、このエビデンスとなる自治体のデータが公表されていましたが、すぐに消されてしまいました。この現象には特殊なバイアスが作用していると考えられ、行政の責任は大変大きいと考えられます。

何もしないでいると「無策だ！」と非難されることから、外出自粛や営業時間の短縮要請で「対策をとっていること」にする。その結果、スケープゴートにされたさまざまな施設や飲食関連企業は経営を維持することが難しくなり、学生は対面教育の機会を奪われ、観光地には閑古鳥が鳴き、ステイホームで家にこもった人たちが心身ともに健康を損ねていきつつあります。こんな無意味どころか実害の大きい愚策は一刻も早く改めるべきです。

呼気感染を過大評価したために、真冬でも「換気」が勧められています。寒い季節に外の冷たい空気を入れると、体が冷えて風邪を引きやすくなります。風邪を引かないための古くからの基本的対策は、ストーブなどで室内を暖め、やかんなどを載せて湯気を出し、空気を乾燥させないように湿度を保つことでした。実は、この高温高湿が新型コロナのR

ＮＡ遺伝子を不活化するために最も有効な方法だったのです。そのようなデータが昨年の医学論文で報告されました。古くから何百年も続けられてきた人々の知恵や常識には、それなりの根拠があるのです。

しかし、今回のようにパニックに陥ると、そのような知恵がどこかに追いやられてしまいます。

スーパーコンピュータ「富岳」による、呼気由来の微小粒子の拡散画像が人々に強烈な恐怖感を与え、専門家までもが思考力を麻痺させてしまいました。この映像に影響され、真冬の北海道でも窓を開け放って換気することなどを一生懸命真面目に行っているのです。

適度な換気は必要ですが、風邪が流行する真冬にわざわざ寒くすることのほうが体にとっては、はるかによくないことは誰にでも解ることです。体が冷えると免疫力も低下し、逆に風邪を引きやすくなることは昔からの常識でした。

狭い地下鉄のトンネル内で高速で走る電車の窓を開ければ、強烈な気流変化でさまざまな粉塵が舞い上がり、それをすべての乗客が気づかずに、さまざまな異物を吸い込むことになります。われわれにとって何が本当によいことなのかを俯瞰的に考えてみるべきです。

免疫バランスの維持こそ感染症対策の切り札

いくら感染予防対策をしても、極微小のウイルスの侵入を防ぐのは至難の業です。そのときに力を発揮するのが「免疫力」です。私たちの体の中にウイルスや細菌などの病原体が侵入すると、体内で免疫系が活性化されてこれらを排除します。これが感染防御の主役なのです。免疫系には陸海空の軍隊のように、自然免疫、液性免疫、細胞性免疫など、さまざまな戦闘部隊があります。

自然免疫は、外界と接する皮膚、及び口腔、鼻腔、消化管などの粘膜組織で特に発達しており、体外から侵入するさまざまな病原体と戦って排除してくれます。これは生まれながらに持っている白血球の防御能力で、特別な学習は不要です。さまざまな白血球の仲間が活性酸素やインターフェロンなどのサイトカインを産生分泌して、病原菌を排除してくれます。将棋に例えれば、〝歩〟の様に最前線で敵と戦う戦闘部隊です。

みなさんに一番馴染みが深いのは、抗体をつくる液性免疫です。これは獲得免疫系と呼ばれ、白血球の樹状細胞やリンパ球などが侵入してきた病原体を外敵として学習し、これに対して精密な長距離ミサイルである抗体をつくります。この抗体にはＩｇＡ、ＩｇＭ、

IgGなどがあり、〝飛車〟や〝角〟のように体液や血中に分泌されて病原体に結合します。IgAはリンパ球で産生され、涙液、鼻汁、唾液、胆汁、膵液、及び消化管や気道の粘膜などから常に分泌されています。このIgAが消化管や膣などに侵入してくる微生物を認識し、彼らと共存するか否かを決定しています。病原体が体内に侵入してくると、数週間以内に短寿命のIgMが産生されて血中に分泌され、病原体と結合して中和します。このIgMが低下する頃に長寿命のIgGが産生分泌されます。IgMやIgGは中距離ミサイルや長距離ミサイルのような飛び道具なのです。

新型コロナに感染した場合も、IgMとIgGが同じ順序で産生分泌されます。これらの抗体はウイルスのさまざまな抗原部位に結合する能力を持っており、ポリクローナル抗体と呼ばれています。これらの抗体が結合するウイルスの部位は多様ですが、きわめて正確です。ポリクローナル抗体はショットガンの弾のように多種類で対応するので、ウイルスが多少突然変異しても抗体の中のどれかが作用できます。

〝下手な鉄砲も数打ちゃ当たる〟という原理と同じです。このためにウイルスが突然変異しても抗体がすぐに無効になることはありません。これは後で述べる〝ワクチン〟でも同じことです。

細胞性免疫も獲得免疫系であり、病原体に対する学習が必要です。これは陸軍の戦車のように、ウイルスが感染した細胞を直接殺す免疫細胞です。ウイルス感染症に対しては、抗体よりもむしろ重要な役割を演じています。将棋で言えば、〝金や銀〟のように接近戦で〝王様〟を守っています。

風邪が治るのは、ウイルスに対する抗体が産生されて中和し、ウイルスが感染しておかしくなった細胞を排除してくれるからです。抗体は大きなタンパク分子なので、ウイルス表面にあるスパイクなどに結合して作用します。ある病原ウイルスの侵入を一度経験すると、免疫系はそれを記憶し、次に同じウイルスや類似した構造のウイルスが侵入すると、ただちに抗体を産生して排除しようとします。多くの場合、同じウイルスには再感染しにくく、仮にかかっても軽症ですむケースが多いのは、この免疫記憶によるものです。

日常生活では、過剰な感染予防策にエネルギーを注ぐよりも、必要になったときに速やかに活性化されて守ってくれる免疫記憶を維持することのほうがはるかに重要であり、実効性も期待できます。これは国や自治体の感染予防対策でも同じであり、外敵がいなくなった時期に緊急事態宣言を出したり、自粛強要などの過剰反応しても効果はありません。

免疫力を高める4つのポイント

免疫力を維持する基本は、「食べる」「動く」「寝る」「ストレスをためない」の4つです。免疫のバランスに重要な働きをしているのが「腸内フローラ」と呼ばれている腸内細菌群です。腸内細菌のバリエーションが豊かなほど、免疫的多様性（レパートリー）が強化されます。腸内細菌の多様性を豊かにするような食事習慣が、免疫バランスを整えるために最も大切な要素です。

腸内細菌は小腸よりも大腸に圧倒的に多く、便の30％は腸内細菌が占めています。そのために、胃や小腸で分解吸収されずに大腸にまで届く食材が重要です。具体的には、食物繊維が豊富な根菜類、納豆や山芋などのヌルヌルした食材、海藻類など、ミネラルも豊富な食物がお勧めです。食物繊維には水溶性と不溶性があり、これらを2：1程度の割合で食べると理想的です。

適度に体を動かすことは全身の血液循環をよくすることであり、それだけで新陳代謝を活性化できます。血流が改善されると代謝が活発になり、これにより免疫バランスもよくなります。

また、体を動かすことにより体温が上がり、これも代謝や免疫力をバックアップする有効な方法です。特に、歩くことにより下肢からの血流が骨盤内や腸の周囲を温め、腸や腸内フローラの代謝が活発になり、これが免疫バランスを整えてくれます。

睡眠は昼間の活動で障害された細胞や組織を修復する時間です。私たちは毎日睡眠をとることで、また次の日に戦える体を再生しているのです。

たとえば、私たちは風邪を引いたり激しい運動をしたり、精神的にストレスのかかる出来事が起こると疲れます。疲労は免疫力を低下させる重要な原因となります。

私たちは疲れたときに口内炎やヘルペスが出ることをよく経験します。三叉神経に常在している日和見のヘルペスウイルスは普段はおとなしくしていますが、免疫力が落ちると活性化して増殖するからです。私たちの神経細胞の中にウイルスがいて、「トロイの木馬」のような状態になっているのです。ウイルスを増殖させないためには、ストレスをためず、疲れたら休むことが大切です。疲労感とは〝休め！〟という無意識的なアラームサインなのです。

現在進められているリモートワークも、嫌な上司の顔を見ないですむ分にはストレス軽減になります。しかし、これが長く続くと外出するのが億劫(おっくう)になり、人との接触が極端に減ると、逆にウツ状態に陥るケースも少なくありません。外に出て体を動かし、人と接しておしゃべりし、一緒に食事をするなど、人間として当たり前の暮らしを忘れないことが大切です。人間は社会的動物なので、人々と交流することにより健全に生活でき、免疫力を高めて健康を維持できるのです。

今回のコロナ騒動では、マスコミやいわゆる専門家の誤情報に振り回され、私たちが持っていた常識や知恵がどこかに吹き飛んでしまいました。

今回のコロナ騒動に限らず、何かのきっかけで極端な思考や行動に走りがちなのが完全主義を目指す真面目な日本人の特徴の一つです。〝ゼロコロナ〟などの主張はその典型的な例であり、〝風邪やインフルエンザを絶滅させよ〟と叫ぶことに等しく、自然界ではありえないことなのです。これを機会に私たちは、一度思考をリセットして、冷静な頭で今回のことを俯瞰(ふかん)的に見直してみる必要があります。

Q&A

Q　新型コロナが流行した一方で、毎年冬に流行するインフルエンザが激減した理由は何だと考えられますか。

A　コロナ流行前の日本では、毎年約1000万人がインフルエンザに罹患し、死者が5000人、関連死を含めると高齢者を中心に、1万人近くの方が亡くなられていました。

ところが、この1年間はインフルエンザでの死者や重症者が600分の1になっています。これは日本だけでなく、世界中で同様の現象が見られており、南半球のオーストラリアでは「インフルエンザが絶滅した」という記事まで出ました。

これはウイルス学においては昔から教科書的に知られている「ウイルス干渉」という現象です。ウイルスがヒトの体内に入ると、自然免疫系により活性酸素やインターフェロンなどのサイトカインが分泌されて体を防御します。ヒトを含む動物にはそういう自然の防御機構が備わっているのです。このため、後から別のウイルスが侵入しようとしても、先に入ったウイルスに対する自然免疫力ではじかれてしまいます。これがウイルス干渉と呼ばれる現象です。

今回、コロナの感染力が強くなったために、インフルエンザよりも早く感染することができました。そうすると、椅子取りゲームのように、後から来たウイルスにはもう座る椅子はありません。インフルエンザが激減した理由はそのためと考えられます。この自然免疫力は他のウイルスにも非特異的に作用しますので、昨年は夏に発症する子供の手足口病なども１００分の１以下に抑制されました。ウイルス干渉による日本でのインフルエンザの抑制時期から、新型コロナがいつ日本に入国したかを正確に知ることが可能です。その時期が２０１９年の12月中旬と昨年の1～2月であり、この時期に日本人が新型コロナに対する集団免疫力を獲得したことがわかります。これは感染症学の基本的な解析法なのです。

Q　マスクは感染防止対策としてどこまで有効なのでしょうか。流行が収束しても、マスクはつけ続けなければならないのでしょうか。

A

マスクの予防効果については、デンマークで二重盲検試験が行われており、今回の新型コロナではマスクの有無で感染リスクに差がなかったことが明らかにされています。

コロナウイルスの大きさは約0・1㎛です。マスクの隙間は50倍以上も大きい5㎛なので、余裕で通り抜けてしまいます。鶏小屋の金網で蚊が入るのを予防できないのと同じです。一方、鶏が金網をすり抜けられないように、咳などのある発症者では飛沫を飛ばさないためにマスクは有効です。マスクは発症者が他人に感染させないためにつけるものです。

ただし、人は毎日無意識に1日何回も自分の顔を触っているので、マスクをつけることによりウイルスのついた手で口や鼻に触るのを防ぐ効果はあります。もっとも、これは外から帰った直後に、手洗いとうがいをこまめにすれば問題ありません。たとえウイルスに暴露しても、通常は感染に至るまでにしばらく時間がかかります。新型コロナで約1週間近い潜伏期があるのはそのためです。冬の寒い季節に至る所にいるウイルスを触らずに過ごすことは困難なので、マスクよりも、朝夕に手洗い、うがい、鼻洗浄、そしてトイレの清掃を小まめにするほうがはるかに有効です。

Q　新型コロナ感染症では、回復後に倦怠感、呼吸苦、関節痛、咳、味覚・嗅覚障害などの後遺症で苦しむ人がなぜ多いのでしょうか。

A　このような後遺症があることは事実ですが、「倦怠感、呼吸苦、関節痛、咳、味覚・嗅覚障害」は、従来の風邪をこじらせた際にもよくある症状として以前から熟知されています。また「感染者の『多く』がこれらの後遺症で苦しむ」という言い方は誤りです。日本人の大半が無症候性の既感染者であり、少なくとも筆者は「多くの人でこのような後遺症が長期間続いている事を示す科学的データ」を目にしたことはありません。これは、自称専門家とメディアによる典型的な煽りです。

Q　海外で多くの変異株が出現していますが、それらも最後にはただのウイルス性風邪として生き延び、蔓延するのでしょうか。

A　その通りです。これまでも、これからも、ウイルスとの永遠の免疫的軍拡競争が続きます。その中の一部は人体に取り込まれ、やがては体内で機能することも起こりえます。三叉神経に常在化したヘルペスウイルスはその代表例であり、ヒト遺伝子の約30%はこのように感染を繰り返しながら細胞の核内遺伝子に溶け込んで（溶源化）共生していきます（第3章参照）。

Q 新型コロナ感染症で「サイトカインストーム（免疫システムの暴走）が起これば、短時間で死に至る」と言われています。また、感染力が強く強毒な変異株の出現を考えると、やはり「本当はこわい」ウイルスではないのですか。

A 新型コロナに限らず、ウイルスを過小評価することは禁物です。しかし、日本で「新型コロナが原因のサイトカインストーム」で死亡した患者数は、2020年6月末までの1000名のうちのごく一部です。それ以降は、厚生労働省が全国の医療機関に「死後も含めてPCR陽性者は、死因を問わず新型コロナ死として報告するように」と通達したことにより、正確な死因は誰にも解析不能になりました。

日本では高齢者を中心に毎年130万人が死亡しています。2021年3月までの約

1年間に新型コロナ関連で死亡したとされている約８０００名中の一部もサイトカインストーム死者であり、日本人の死因として最大限に見積もっても0・６％以下です。しかも、その大半は平均寿命を超えた高齢者です。平均寿命を過ぎれば誰にでもいつかは死が訪れます。その際の主な死因はがんや心脳血管系障害であり、その最終的死因の多くは呼吸不全です。新型コロナのサイトカインストーム死だけを今回のように恐れることは、インフォデミックに端を発するバランス感覚を欠いた過剰反応と言わざるをえません。

これまでにも、１００年に一度程度でパンデミックが、10年に一度程度の頻度でＳＡＲＳやＭＥＲＳなどの強毒株が出現してきました。人類はウイルスと長い間つきあってきたのです。この1年間はそれが世界的に「見える化」され、メディアで過大に煽られたに過ぎません。

井上正康

第2章

PCR検査の弊害

感染力のない遺伝子のカケラを見つけただけでも〝陽性〟になる

一連のコロナ騒動で、非常に大きな問題があったのがＰＣＲ検査です。新型コロナを恐れるあまり、ＰＣＲとは何を検出するものなのか、どのように使えば科学的な武器になるのかという原則を忘れ、感染者をあぶり出すための切り札のように思い込んでしまいました。ここに大きな誤解があり、それが世界的な混乱を引き起こしている重要な要因にもなりました。

ＰＣＲ検査は、組織や細胞で特定の遺伝子が発現しているか否かを超高感度で調べることが可能な画期的方法です。発明者であるアメリカの生化学者キャリー・マリスは、この功績によってノーベル化学賞を受賞しました。

この方法は超高感度であるために、実験室のように環境や条件がきわめて安定していることが大切です。たとえば、わずかな数の培養細胞でも、特定の遺伝子が発現しているか否かを測定することが可能です。これにより生命科学や医学の研究が飛躍的に進歩しました。私も大学の研究室でＰＣＲ法を利用して多くの論文を発表してきました。

今回の新型コロナではこのＰＣＲ検査法がウイルスの検出法として利用されました。新型コロナウイルスのＲＮＡ遺伝子は約３万個の塩基からなり、その中の１００～３００個程度（０・３％～１％）の部分を鋳型（プライマー）とし、これを二重螺旋のＤＮＡに変換した後に2倍、4倍、8倍……と増幅することにより、その鋳型部分がどの程度存在するかを調べます。

この際に、ウイルスの量が多ければ少ないサイクル数で検出されますが、ウイルスの量が少ないとサイクル数を増やさないと検出できません。ちなみに、増幅サイクルを45回も繰り返すと1個の遺伝子のカケラでも検出可能になります。つまり、サイクル数を増やせば増やすほど、わずかな量の遺伝子断片でも検出して陽性になります。しかし、これはあくまでも遺伝子のカケラ（鋳型部分）を検出しているのであり、感染力のある完全なウイルスの有無とは関係ありません。

53ページの図はＰＣＲ検査で陽性化するまでのサイクル数と、感染力のあるウイルスの検出頻度、および単なる遺伝子のカケラの検出率を比較したものです。この研究では、感染力のあるウイルスが検出されるのは20サイクル程度までで、それ以上ではまともなウイルスが減って遺伝子のカケラを検出する頻度が増加することを示しています。また、35サイクル以上増幅すると、ウイルス遺伝子のカケラばかりになることもわかっています。

ＰＣＲ検査で陽性になるサイクル数はＣｔ値（Cycle of Threshold）と呼ばれており、ウイルスが多いほど少ないサイクル数で検出されます。ウイルスの種類により多少異なりますが、彼らが細胞に感染するには通常は1万個以上必要と考えられています。このためにＣｔ値が〜20であれば主に感染力のあるウイルスを検出でき、それを超えると感染力のないウイルスの破片を検出する頻度が増大し、35サイクル以上では感染力のないカケラばかりであることがわかっています。しかし、その検出限界の基準は国によってまちまちです。このためにＷＨＯでさえ〝ＰＣＲ検査での判定は35サイクル以下で行うように〟と注意喚起しています。しかし、その検出限界のＣｔ値は国ごとに異なり統一されていません。

事実、ＰＣＲ検査でＣｔ値の運用が20のニュージランド、30〜35の台湾やスウェーデンなどでは無意味な偽陽性（本当は陰性なのに陽性の判定）を出さずにうまく利用されています。逆に40＜Ｃｔ値＜45で運用している英国やフランスでは、過剰対応でさまざまな混乱をきたしています。欧米先進国に追従することを基本としている国立感染症研究所では、日本はウイルス実害がはるかに少ないにもかかわらず、彼らと同様にＰＣＲ検査を40

PCR検査のCt値とウイルス分離と偽陽性率

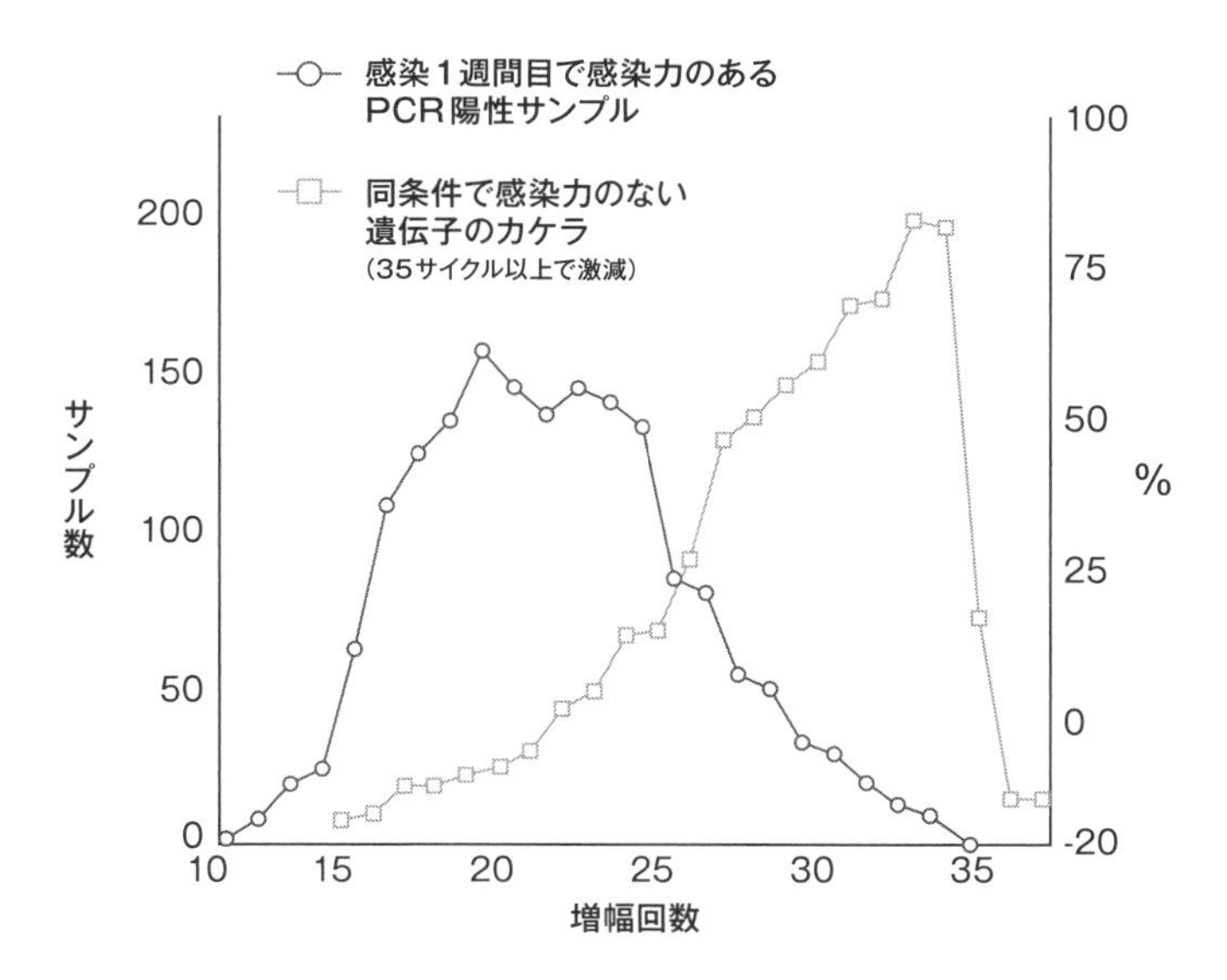

R Jaafar, Clin Inf Diseases（2020）より、著者改変

20サイクルまでは感染力のあるウイルスが検出されるが、それ以上ではウイルス量が激減して感染力のない遺伝子のカケラが激増する。35サイクル以上では遺伝子のカケラ以外の共雑物で何を検出しているか不明のため、WHOですらこれ以上の増幅回数での測定は無意味なので使用しないように警告している。

＜Ｃｔ値＜45で運用しています（２０２1年2月末現在）。これは遺伝子のカケラが数個でも検出できる異常な測定条件です。昨年春以降に急増した民間検査会社での運用条件は国立感染症研究所の方法に準じている所が多いと考えられ、そのために多くの偽陽性者を出しています。

世界でのＣｔ値の基準がバラバラで感染の実態を示しておらず、増幅回数の多い国ほど深刻な被害を出しています。このような事実から、「ＰＣＲ検査を低いＣｔ値で運用している国が感染の抑え込みに成功し、それが高い国が過剰反応で失敗している」と考えられます。

ＰＣＲを感染症の診断に用いてはいけない

ＰＣＲは、もともと遺伝子の発現を超高感度で検出するために開発された解析法であり、高度に管理された安定な実験条件下で行うことを前提としています。

私も20年ほど前の若い頃に大学の研究室でＰＣＲをよく利用していました。今日のように測定機器も進化していなかったので、ちょっと油断すると測定試料が汚染されて「コン

新型コロナPCR検査の増幅回数

Ct値	元の推定RNA量	増幅数	増幅数要約	主な国の設定Ct値
18		262,144	25万倍	
19		524,288	50万倍	
20		1,048,576	100万倍	
21		2,097,152	200万倍	
22		4,194,304	400万倍	
23	100万個	8,388,608	800万倍	ニュージーランド
24		16,777,216	1700万倍	
25		33,554,432	3000万倍	
26		67,108,864	7000万倍	
27	10万個	134,217,728	1億倍	
28		268,435,456	3億倍	
29		536,870,912	5億倍	
30		1,073,741,824	10億倍	
31	1万個	2,147,483,648	20億倍	
32		4,294,967,296	40億倍	← 感染力の推定限界
33		8,589,934,592	85億倍	
34	1,000個	17,179,869,184	170億倍	
35		34,359,738,368	350億倍	台湾
36		68,719,476,736	700億倍	スウェーデン
37		137,438,953,472	1400億倍	中国
38		274,877,906,944	2700億倍	
39	100個	549,755,813,888	5000億倍	米国
40		1,099,511,627,776	1兆倍	
41	10個	2,199,023,255,552	2兆倍	
42		4,398,046,511,104	4兆倍	日本　仏
43		8,796,093,022,208	9兆倍	
44		17,592,186,044,416	17兆倍	
45	1個？	35,184,372,088,832	35兆倍	英国

「サムケンちゃんねる2.0」より引用

タミネーション」と呼ばれる失敗を起こしていました。特にサンプルの調整は空気中にホコリなどがないクリーンな研究環境で行う必要があったのです。ＰＣＲ解析もそのような実験条件で実施されれば、素晴らしい武器になります。

ＰＣＲ検査は誰でもできる簡単な検査なので「大学の研究室にあるＰＣＲ装置を使って検査数をいくらでも増やせる」などと主張する方もおられますが、これはＰＣＲ検査の本質と運用の実情をご存じない方の言説です。

アメリカのクリニックで「無菌の綿棒」と健康者の鼻粘膜の検体をある検査センターに依頼したところ、「無菌の綿棒を含む全検体が陽性」との報告が送られてきました。そのために、それ以後はその検査センターに依頼することをやめたというエピソードもあるくらいです。

非常に感度の高い検査なだけに、わずかな断片の混入で偽陽性になってしまう可能性があります。しっかりした設備と技術の習熟が不可欠です。「自動測定装置にすれば検査数が増やせる」という意見もありますが、検体のサンプリングの際に混入が起これば同じことです。

ＰＣＲ陽性者＝コロナ感染者ではない

ＰＣＲの検査キットには「これはウイルスを診断するためのものではありません。あくまでもＲＮＡの断片を検出するためのキットです」という注意書きがあります。発案者のキャリー・マリス博士自身、「ＰＣＲを感染症の臨床診断に使うと大きな混乱をきたすので、用いるべきでない」との遺言を残して、２０１９年のパンデミック直前に亡くなられました。

それにもかかわらず、ＰＣＲ陽性者＝コロナ感染者という誤った理解が広まり、いまだに修正されていません。メディアでは毎日〝感染者数〟が報じられ、その増減に一喜一憂するという日々が、かれこれ1年以上も続いています。

ＰＣＲで検出された遺伝子のカケラは、それが感染力を持つウイルスのものであるか否かわかりません。ＰＣＲで遺伝子のカケラが検出されただけでは〝陽性者〟ではあるけれども、〝他人への感染力を持っている否か〟は不明です。土器のカケラを発見して〝無傷の縄文土器を発見した！〟と大騒ぎしているようなものです。よく見たら大半がカケラだったということもあるわけです。ＰＣＲ陽性と感染はまったく別の次元であり、両者を混同していることが混乱の大きな原因です。

ウイルスが細胞内に侵入した時点で感染が成立しますが、感染したからといって必ずしも発症するとは限りません。それが無症候性感染と呼ばれるものであり、今回の新型コロナの感染者の多くが、これに相当します。感染して症状があり、医師が診断してはじめて〝新型コロナ感染者〟になります。他の感染症であれば、医者が診てもいないのに、民間の検査機関が調べた数値だけで〝患者〟にされてしまうことはありません。

また、ＰＣＲ検査では鋳型のプライマーの設定の仕方によって、新型コロナ以外のウイルスもとらえてしまう可能性があります。プライマーは検査企業により異なる可能性がありますが、そのような情報は公表されていません。

こんな状態で、何の症状もない健常人にＰＣＲ検査を実施しても、偽陽性（本当は陰性なのに陽性と判定）や偽陰性（陽性なのに陰性とされる）などの問題が生じ、今回のように大混乱を招くだけです。

ＣＴ検査を活用できるのが日本の強み

私は以前から、ＰＣＲ検査が大混乱の原因となりうることから、日本では風邪や肺炎の症状のある人は、まずＣＴ検査（コンピュータ断層撮影法）を行うほうがよいと提唱してきました。

日本の病院には、肺の画像診断が可能なＣＴ画像装置が多く装備されており、その総数は世界の30％近くにものぼります。

ＣＴ検査は、ウイルス性の間質性肺炎を診断するためには大変優れた方法です。今回の新型コロナ流行当初、中国の武漢で多数の方が肺炎症状を示しましたが、無症状の方でも感染者の大半に、肺にスリガラス状の所見が認められたと報告されています。間質性肺炎の特徴は大変わかりやすく、呼吸器の専門医でなくても診断可能です。

先述した通り、新型コロナウイルスの場合、このスリガラス状の所見は、肺の血管に血栓が生じることにより観察される画像です。日本においては、発症して感染が疑われる方にはまずＣＴ検査を実施し、間質性肺炎の画像が認められた場合にコロナウイルスによるものか否かを判定するためにＰＣＲ検査を実施する――このほうがはるかに効率的で現実的です。

無症状の人にPCR検査を実施する必要はありません。医療インフラが豊かな日本では、症状が出たときにCT検査、スリガラス状の所見が見られたらPCR検査という流れが不必要な混乱を招かないためにも適切です。

新型コロナの実力にふさわしい対応を

日本では他の国に比べてPCR検査数が少なかったことから、メディアや大学の研究者などから執拗な批判が繰り返されました。

その結果、2020年夏前から国内でPCR検査数が急増しました。しかし、その内訳をみると、保健所などの公的機関の検査数には大きな変化はなく、増加分の大半は民間の検査会社です。

感染の不安を煽(あお)られ〝陰性証明〟を求めて、検査の必要のない人までが検査に殺到する一方で、1回数万円という〝検査ビジネス〟が急拡大していきました。ビジネスの拡大にともなって検査数が増え、それに従うように陽性者数も増加していきました。それを〝感

日本のPCR検査数と実施機関の増加

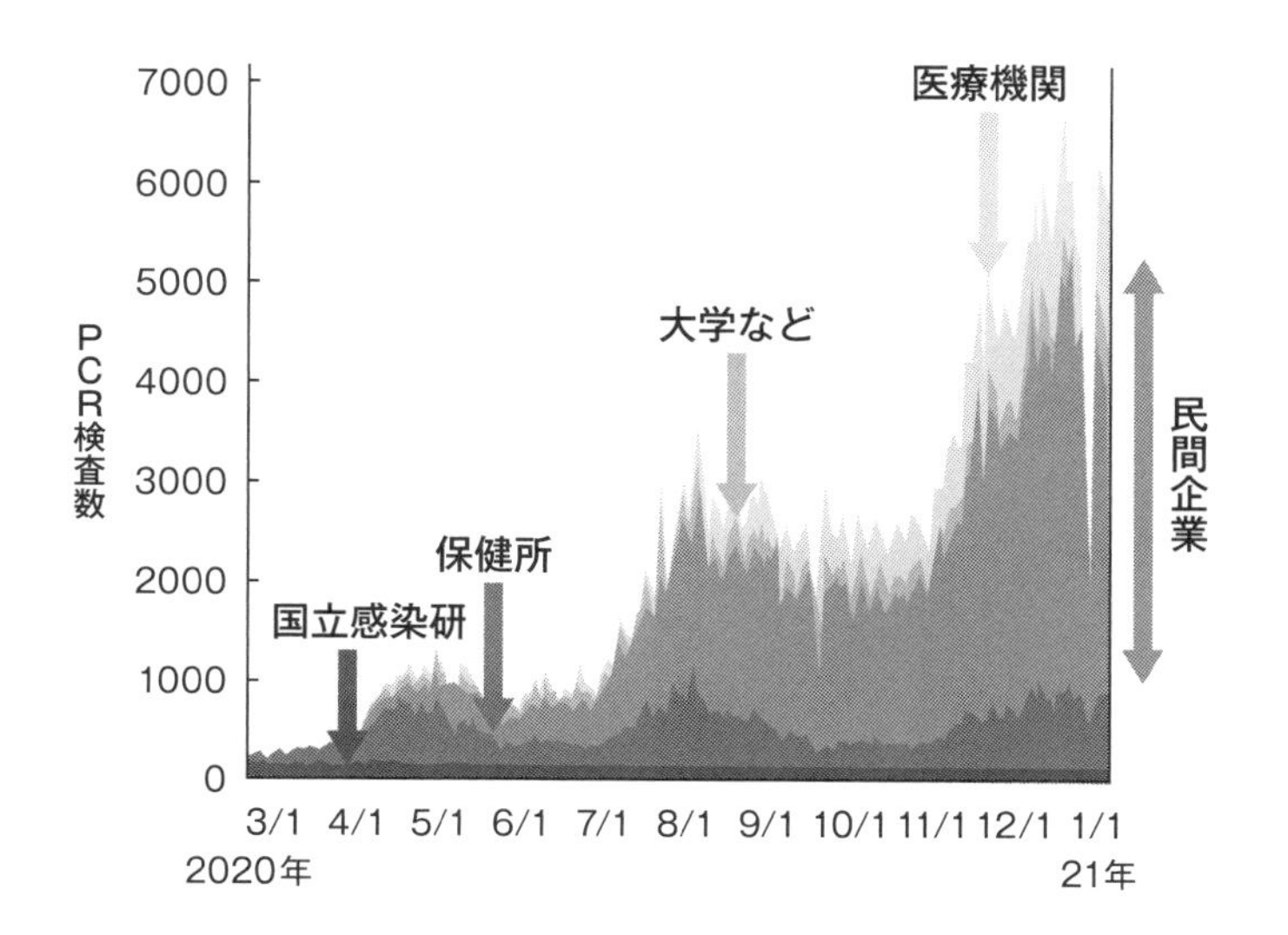

染者〟が増えた！　とか〝感染者〟が減らない！　などと騒ぎ立てているのが、今の日本の実態です。

第１章で述べた通り、新型コロナウイルスは〝感染力の強くなった季節性の風邪のウイルス〟です。２０２０年は、風邪のウイルスに対してヒステリックにＰＣＲ検査を誤用し続けた医学史上初めての年でした。

これが意味するところは、今まではほとんど気にかけていなかった風邪のウイルスが初めて「見える化」されたということです。

毎年、意識されないかたちで１０００万人もがインフルエンザに感染し、目に見えないかたちで３０００人以上が亡くなっています。

そもそも、日本では毎年約１３０万人が亡くなっており、その中の約１００万人が80歳以上のお年寄りです。１日平均３０００人以上が死亡しています。

その中で、〝コロナ死〟だけが切り取られ、世にも恐ろしい殺人ウイルスであるかのように報じられました。これはきわめてバランスを欠いたものの見方です。

日本人の死因のトップはがんで、年間37万人の方が亡くなられています。その次が心疾患で20万人、脳血管疾患で10万人、老衰で10万人、肺炎で9万人、その他は不慮の事故4万人、自殺2万人などとなっています。

これまでに関連死を含めるとインフルエンザで毎年約1万人が亡くなられている一方、新型コロナではこの1年間で約0・8万人が亡くなられました（2021年3月上旬の時点）。

このようにさまざまな死者数を同じテーブルの上に並べて俯瞰視(ふかんし)することにより、新型コロナの本当の実力が見えてきます。このように対応することこそ、国や専門家がとるべき科学的な態度であるはずです。

なお、新型コロナによるこの死者数の中で確実に新型コロナが原因で亡くなられた数は昨年6月末までの1000人までであり、それ以降は〝死因の如何(いかん)を問わず、PCR陽性者はコロナで死亡したこととして届けるように〟との厚生労働省の通達（2020年6月）により、本当の死因を医学的には確認することができなくなりました。これは現代医学史上、今後に大きな禍根を残すことになります。

これは、新型コロナ感染症をきわめて致死率の高いエボラ出血熱やペストと同格の指定感染症2類相当（1類運用）に分類していることが原因となっています。しかも、この適用をさらに令和4年1月31日まで1年間延長することを決定しました。これにより、多くの国民の苦しみが、さらに続くことになってしまいました。

感染把握のためには PCRよりも抗原検査や抗体検査を

日本における新型コロナの診断では、PCR検査が絶対視され、陽性者=感染者として何の疑問もなく取り扱われています。日本の高いCt値では被験者の中に多くの偽陽性者が含まれていると考えられます。このような不正確な数字に振り回されないためにも、現状のPCR検査のあり方を見直し、原則として症状のある方にのみ原因が新型コロナウイルスであるか否かを判定するための臨床検査を実施すべきです。

新型コロナの感染把握のためには、PCR検査以外に抗原検査や抗体検査などの方法もあります。

抗原検査とは、唾液などの検体を採取してウイルスを検出する検査法です。PCR検査がウイルスの遺伝子断片を超高感度で検出する検査法であるのに対して、抗原検査はウイルスのスパイクタンパク質などを検出する方法です。この方法はＰＣＲ検査法に比べると感度が低いですが、偽陽性の確率は低くなります。感度が低いために、ある程度以上のウイルス量がないと陽性にならないという難点があります。しかし、実際にウイルスが感染するには相当数の数が必要であり、ウイルス感染の実態と相関するという利点がありま す。しかも、ＰＣＲ検査器のような特別な解析機器がいらず、簡易検査キットだけで比較的簡単に検査でき、結果が出るまでの時間もきわめて短時間ですみます。

抗原検査は30分程度で実施可能であり、検出限界を適正に設定することにより、他人に感染させる可能性のある感染者を、空港やさまざまな施設で簡単にチェックできます。また、ＰＣＲ検査のような時間的、経済的、場所的制約がありませんので、今後の日常生活や海外旅行などにも有力な武器になると思われます。検査結果が陰性の場合は、その後に感染する可能性を排除することはできず、ＰＣＲ検査と同様に不安要因が残ります。

一方、抗体検査はそのような欠点を補えるので、新型コロナの優れた検査方法として利用可能です。

抗体検査と感染の記憶

ウイルスに対する免疫能を持っているか否かは、抗体検査でわかります。抗体検査で陽性になれば、すでにウイルスに感染して免疫力が働いていることを意味します。抗体を持っていればウイルスを中和（無毒化）することができるので、他人に感染させるリスクも低下します。

ウイルスに対する抗体には、主に短寿命のＩｇＭと比較的長寿命のＩｇＧがあります。通常、ウイルスに初めて感染すると、最初に短寿命のＩｇＭが一過性に産生され、比較的短期間で低下していきます。その頃にＩｇＧ抗体が産生されて血中に比較的長く維持されます。この抗体産生能はリンパ球に記憶され、体内で長期間保存されます。

敵と戦う陸海空の軍隊と同様に、病原体と戦う免疫系にもミサイルのような抗体をつくる液性免疫系（海軍）と、ウイルスに感染した細胞を殺す細胞性免疫系（陸軍）がありま す。実は、ウイルス感染症では、抗体よりも感染細胞を直接殺す細胞性免疫のほうが重要と考えられています。細胞性免疫は大学の研究室などで詳しく解析されていますが、この細胞性免疫も体内で記憶され、再感染した際には速やかに迎撃態勢をとります。

全国のさまざまな場所で新型コロナに対する抗体検査が実施され、抗体保持者が思いのほか少ないことから、「日本人はまだほとんど新型コロナに感染していない」と言われました。しかし、これは感染症や免疫学を知らない方の初歩的な誤りです。通常、軽症のウイルス感染症では抗体ができてもすぐに消えますが、重症の場合は抗体を長期産生し続けた人だけが生き残るという原則があります。

実は、コロナウイルスに対するＩｇＧ抗体の血中寿命は比較的短いために、一度獲得しても生涯維持し続けることはできません。新型コロナに感染した場合、無症状者や軽症者では血中ＩｇＧの半減期が約36日であることが報告されています。そのために約半年で１％程度まで低下し、１年も経てば検出限界以下になります。

一方、重症化した場合には抗体が長期間高く維持されます。事実、18年前にＳＡＲＳが流行した際にも、重症患者では血中抗体が長く維持されることがわかっています。これは当然のことであり、戦争がないのにミサイルや大砲を撃ち続けることはありません。病原体に対する戦いも同じであり、ウイルスを排除した後は血中の抗体を維持する必要はなくなります。今回の新型コロナでも日本人の大半は無症状や軽症でしたので、血中の抗体価が低かったのは当たり前のことなのです。

しかし、抗体価は低下しても、新型コロナに対する液性免疫や細胞性免疫は体内のリンパ球に記憶されており、再感染した際には速やかに活性化されて迎撃態勢をとります。私たちが毎年のように風邪を引いても2、3日安静にしていれば治るのは、ウイルスに対する液性免疫と細胞性免疫の記憶があるおかげなのです。また、過去に感染したことのあるウイルスへの再感染では、ＩｇＭの反応が少なく、はじめからＩｇＧが顕著に増加するケースが多く見られます。

日本は早い時期に集団免疫を獲得していた

特定のウイルスに感染した人が少ない集団に感染力の強いウイルスが侵入すると、その集団の中に感染が次々と広がっていきます。

一方、集団の中で感染歴のある人の割合が多くなると、同じ、または類似のウイルスには感染しにくくなります。その結果、感染が広がらずに流行が抑えられます。これを集団免疫と呼びます。

パンデミックなウイルス感染症では、集団免疫力を獲得することが最も重要な対抗手段となります。今回明らかになったように、新型コロナウイルスに感染しても大半は無症状で、発症する場合も潜伏期間（感染から発症するまでの時間）が比較的長い特色があります。このようなウイルスの場合、多くの方が気づかない間に感染して集団免疫力を獲得していることがあります。日本人にとって、新型コロナは、まさにこのようなタイプのウイルスでした。

東京理科大学の村上康文教授らが開発した新しい抗体検査システムで調べた結果、２０２０年５~８月に首都圏で採取した３６２検体のうち、１・９％が抗体陽性でした。日本に新型弱毒株が中国から入ってきたのは２０１９年12月なので、サンプルの採取時期までに半年以上が経過しています。前述のごとく、無症状の新型コロナウイルス感染者では血中のＩｇＧ抗体の濃度が約１か月の半減期で低下していきます。血中のＩｇＧ抗体がこの速度で低下したとして単純計算すれば、測定した半年前には大半の都民が感染していたことになります。

村上氏は、全検体でＩｇＭ抗体とＩｇＧ抗体が同時に上昇しており、〝これは過去にコロナウイルスに感染したことがある証拠である〟とコメントされています。このように日本では早い時期に集団免疫が確立されていたことが明らかになっています。後述するように、インフルエンザとの〝ウイルス干渉〟のデータ解析からも、早い時期に新型コロナに感染していたことが確認されています。

土着コロナウイルスと新型弱毒株で日本人のコロナ免疫力が強化された

2020年の年明け頃から中国・武漢の新型コロナウイルス感染症が大々的に報じられ、日本国内では「いつウイルスが流入するのか⁉」と戦々恐々としていました。

しかし、実際にはその前年の暮れからすでに新型ウイルスは日本に入っていたと考えられます。1月23日に武漢市は封鎖されましたが、その直前に多くの市民が市外に脱出していました。その後2月には春節を迎え、多くの中国人が日本を訪れています。日本が中国全土からの入国を制限したのは3月9日になってからでした。

この頃から、すでに多くの日本人が新型の弱毒コロナウイルスにさらされていたと考えられます。第1章で述べた通り、日本人は毎年冬に土着のコロナウイルスにさらされており、コロナウイルスに対してある程度の抵抗力（交差免疫力）を持っていました。このような免疫的基盤に加えて、東アジアで初期に流行した弱毒型コロナウイルスが年末から年頭にかけて日本に入ってきました。新型弱毒コロナ株に先に感染することでコロナ免疫力がさらに強化され、その後に入国してきた変異型強毒株を迎え撃つ免疫的な態勢ができていたのです。免疫力はこのような〝実戦〟を重ねることで強化されていきます。

ウイルス干渉データから見た集団免疫

２０１９年暮れから年明けの2月頃までの早い時期に、多くの日本人が新型の弱毒コロナウイルスに感染していたことを示す証拠が、インフルエンザの感染状態からも得られています。感染力が強く死亡者数も多いインフルエンザに関しては定点観察する拠点が世界中にあり、その感染状況に関しては毎年詳しく解析されています。このインフルエンザの流行に関しては、２０２０年は特別な年になりました。

実は、世界中でインフルエンザの感染者や死者が激減しています。まずは冬の東アジアを中心に、次いで日本の夏である8月頃には冬の南半球でインフルエンザの感染が激減し、オーストラリア大陸では絶滅したとも言われています。

これは、ウイルス干渉と言われる現象です。ウイルスが感染すると、自然免疫系が排除しようとして活性酸素やインターフェロンをはじめとするさまざまな防御因子を産生します。このために後からやってきたウイルスが流れ弾に当たったように感染できなくなります。これは、ウイルス学では古くから知られてきた椅子取りゲームのような現象です。

このウイルス干渉のために、インフルエンザと風邪に同じ人が同時に感染することはきわめて少ないことが知られていました。実はこのウイルス干渉によるインフルエンザの減少パターンから、感染力の強い新型コロナウイルスがいつ感染したかを正確に知ることが可能です。

日本では、2019年12月と翌年2月にかけてインフルエンザの感染が劇的に抑制されました。ゲノム解析の結果、12月には新型コロナ弱毒株のS株が、1月中旬には弱毒株のK株が日本に上陸したことが知られています。12月のインフルエンザ減少は弱毒S株により、1~2月の減少はK型の弱毒株によりもたらされたものです。これらの現象は新型コロナウイルスの感染力がインフルエンザを上回ることを示唆しています。この2回の新型弱毒株による感染で、多くの日本人が新型コロナに対する強い免疫力を獲得することができました。

これにより日本では早期に新型コロナに対する集団免疫が強化され、その後3月に日本人とともにチャーター便で入国した新型強毒株による被害を免れることができました。このために日本では、欧米に比べて発症者数も死者数もきわめて低く抑えられたのです。

一方、欧米にはいきなり「強毒株」が入国して集団免疫を獲得する時間的余裕がなく、新型コロナウイルスの被害が拡大しました。これが日本と欧米地域との新型コロナによる被害が大きく異なった最大の理由です（詳しくは前著『本当はこわくない新型コロナウイルス』参照）。

〝エボラ並み〟の扱いを早急にやめるべき

インフルエンザおよび、その関連死で毎年1万人近くが亡くなっているのに、日本の医療が崩壊の危機に陥ったという話など聞いたことがありません。

ところが、この1年あまりで8０００人が亡くなったとされている新型コロナウイルスでは、盛んに医療崩壊が叫ばれています。世界一のベッド数を誇る日本において、なぜこんな事態になるのかと言えば、感染症法という法律の中で新型コロナが「指定感染症2

類」相当に定められているからです。

これは、従来のコロナウイルスが変異して感染しやすくなったために蔓延(まんえん)防止策として、隔離入院、患者の移送、建物の消毒など、さまざまな措置を講ずることができるようにしたものです。

指定感染症の分類には1類から5類まであり、1類はペストやエボラ出血熱、2類はSARS（サーズ）や結核、3類はコレラ、赤痢、腸チフス、4類はマラリアやデング熱、5類はインフルエンザや麻疹（はしか）……などとなっています。数字が小さいほど危険性が高い感染症とみなされています。

新型コロナウイルスはSARSと同等の危険があるとみなされ、その分類は2類相当で、エボラ並みに対応できる1類運用扱いになっています。2類相当1類運用は〝街に感染者の死体がゴロゴロしている戦場のような状況〟に対応するための分類であり、ステイホームやホテル待機などとは別次元のものです。事実、1類のエボラ出血熱の致死率は80～90%にも及び、現在の日本の生活様式などは吹き飛んでしまいます。

2020年の春までは新型コロナが未知の新興感染症であったために、どの程度の危険

感染症による新型コロナの取扱い

大

危険性

小

感染症法的措置		入院勧告	就業制限
1類	エボラ出血熱 ペスト	○	○
2類	結核　致死率10% SARSなど	○	○
3類	細菌性赤痢 コレラ	—	○
4類	マラリア 狂犬病	—	—
5類	季節性 インフルエンザ	—	—

← 新型コロナ（2類）

があるのかが不透明だったので、多少は過剰反応と思われるほど慎重に対応することはやむをえないことでした。しかし、半年も経てばさまざまな事実が明らかになり、病原体としての新型コロナの実力が明らかになってきました。

参考人として国会に呼ばれた東大名誉教授が「2週間後には東京がニューヨークの二の舞になる」と涙ながらに訴えかけられましたが、それから何か月経っても、どこにも新型コロナによる実害で修羅場が現れることはありませんでした。「何もしなければ42万人が亡くなる」とも言われましたが、1年以上経っても亡くなった方は1万人弱であり、実際に新型コロナで亡くなった方の数はこの報告数よりもはるかに少ないと考えられています。

一方、この行政の過剰対応により飲食業関係者や日銭で生活していた方々の大量失業など、人災的被害ははるかに深刻です。特に〝夜の街〟が狙い撃ちされ、若い女性たちの自殺率が激増しています。これがこの1年間に日本国内で起こった事実です。

世界と比較したときの日本の感染実態と最新科学によるウイルスの分子解析からみると、日本人にとっては新型コロナは「感染力が6倍強くなった冬型の風邪ウイルス」であり、少し強い風邪として処置することが妥当な医学的対応です。

日本の多くの医師はこれが風邪のウイルスであることを知っていると思います。ただ、法律で2類相当の指定感染症と定められているために、きわめて危険な感染症として対応せざるをえないのです。本質的には少し強い風邪に過ぎないのに風邪として対応できず、手足を縛られた状態でさまざまな対応を迫られているのが、今の医療現場です。

感染症には〝グローカル〟な対応を

症状がなくて他人に感染させる可能性もない健常人を不適切な検査法の結果で隔離入院させる必要はない――それが医療の基本です。

医療の基本を忘れてPCR陽性者に過剰反応して症状のない健常者まで隔離しようとするから、医療崩壊を心配しなければならなくなりました。

不適切なPCR利用を改め、科学的に診療すると同時に「2類相当」を見直し、少なくともインフルエンザと同じ「5類」、またはそれ以下に格下げすることが、この不毛な混乱を収束させるために必要です。

風邪で対処すればいいはずの病気に対してエボラ並みに扱わなければならないために、医療インフラが一気に逼迫(ひっぱく)する可能性が心配されています。しかし、世界一のベッド数を有し、コロナ患者で使われている人工心肺装置も総数のごく一部に過ぎない日本では、インフルエンザ以下のリスクである新型コロナで医療崩壊を招くことは、よほどのことがない限りありません。

2類のSARSは致死率10%、MERSは40%、1類のエボラは~90%です。本当にそのレベルの感染症が流行しているのなら、発症者を自宅待機させておくことはありえません。〝気の緩み〟で新宿や渋谷に大勢の人が繰り出すこともありえません。本当は国民の多くも風邪とたいして変わらないという事実を直感的にわかっているのです。

今回の新型コロナウイルス感染症とはいったい何なのか？　私たちはその根本に立ち返って考え直す必要があります。


新型コロナの「2類相当」を見直すべきだという声は、以前から上がっていました。しかし、厚生労働省は頑としてそれを訂正する気配を見せません。

その理由はわかりませんが、一つにはWHOの分類に合わせておけばよしとする、日本社会にありがちな〝責任回避の事なかれ主義〟なのかもしれません。

確かに現代はグローバルな時代なので、感染症もまたたく間に世界中に広がってしまいます。しかし、世界中で同じように発症するか否かは、別の問題です。日本人の多くはお酒を飲むと赤くなりますが、欧米人の多くはそのようなことは起こりません。洋の東西でアルコール代謝酵素に大きな遺伝的差異があるように、免疫的遺伝子特性にも民族的な特徴があります。歴史的にペストの大流行を繰り返して生き残ってきたヨーロッパには、ペスト菌に抵抗力のある民族が多いように、東アジアでは土着のコロナウイルスに抵抗力のある民族が多くいます。感染症に関しては、そのような防御遺伝学的な基盤の上に、新しい病原体により免疫的特性が上書きされていきます。今回は東アジアの国々でいずれも新型コロナの被害が著しく低かったのは、旧型コロナウイルスにより年次訓練をしてきた免疫系が、新型のコロナウイルスによる再軍事訓練でさらに強化された（ブースター効果）からでした。グローバル社会でもローカルな特性を生かしながら、感染症にもグローカルな視点で対応しなければならない時代なのです。欧米が目標であった時代は前世紀末に終息しているのです。

WHOの基本政策を視野に入れながら、日本独自の地域性や民族特性に応じた対策が必要ですが、日本の専門家、厚労省、政府はそのような俯瞰的思考力を欠いているとも言えます。

日本人の多くは、「成功することよりも失敗しないこと」を人生の目標としており、自分だけがとびぬけて何かをすることをよしとせず、常に周囲に目を配りながら歩調を合わせることを何よりも大事にしてきた民族です。この掟に反する者は村八分にされ、社会的同調圧で抹殺されてきました。日本ブランドとして誇っている『おもてなしの国』もそのような民族性の一つです。仮に独自判断を断行して何か問題が発生すれば、どれほど責められるかわかりません。このためにいったん決めたことは、世間の目を気にして容易に訂正できないのです。

令和3年1月7日付で、厚生労働省健康局から都道府県知事や保健所などに「新型コロナウイルス感染症を指定感染症として定める等の政令の一部を改正する政令等について（施行通知）」と題する通達がありました。これにより新型コロナウイルスは「指定感染症」から「新型インフルエンザ等感染症」という分類へ変更されました。

しかしながら、長々と続く難解不明な文章を通してかろうじて読み取れることは、「指定感染症の指定期間は感染症法で1年以内とされているが、特に必要と認められる場合は1年間延長することができるので、その指定期間を1年間延長し、今のままで指定感染症読替省令の失効期限についても令和4年1月31日まで1年間延長する」との内容です。

要するに、何も変わっておらず、現在続いている過剰反応が令和4年までもう1年間続けられることを意味します。結局何も変えられない政府と厚生労働省の不作為には、改めてその病根の深さを思い知らされます。

Q&A

Q　欧米に比べて重症者数が少なく、しかもベッド数も世界一で高度医療が整備されていると言われている日本で、なぜ医療崩壊が懸念されるのでしょうか。

A　これは新型コロナをＳＡＲＳと同じ指定感染症２類相当（一部１類運用でペストやエボラと同じ扱い）に分類していることに加え、偽陽性の多いＰＣＲ陽性者をすべて感染者扱いしており、医療が過剰対応せざるをえない状況をつくっているからです。ＰＣＲ検査を適正に利用し、インフルエンザと同様に指定感染症５類以下に格下げすれば、基本的に解決します。これは人為的な医療政策ミスが原因です。

Q　クリスマスや忘年会の後で感染者数が急増しました。やはり、大人数での会食が最も感染リスクが高いのではないでしょうか。

A 新型コロナは感染力が６倍強くなった冬型の風邪ウイルスなので、冬になると感染が増えるのは当たり前のことです。新型コロナの感染には時差があるので、３密回避や接触８割減が有効でないことはすでに証明されています。

Q 緊急事態宣言が発出された後に感染者の数が減り始めました。やはり、みんなが外出を自粛して３密を避けることが、感染拡大を防ぐ有効な方法ではないのでしょうか。緊急事態宣言解除後のリバウンドについて、自治体の長や専門家がしきりに警鐘を鳴らしています。

A 昨年も今年も緊急事態宣言が発出される前から感染者が減少しています。感染者数の経時的変化と緊急事態宣言の正確な時期を比べれば、感染者数が冬型ウイルスの性質に従って増減していることがはっきりわかっています。

Q スウェーデンは都市封鎖などの厳しい対策をとらずに、医療崩壊を抑制して経済活動を維持しながら集団免疫の獲得を目指したとされていました。しかし、結局は感染を抑

えることができず、「国王も失敗したと述べた」と伝えられました。やはりワクチンなしで集団免疫を獲得するのは無理なのでしょうか。

A これは日本の報道の仕方に問題があり、現地では全然違います。国王のコメントは「たくさんの死者が出たことを大変遺憾に思う」という趣旨であり、今でもこれまでの基本的方針が継続されています。今年も高齢者施設などでの感染症対策を少し厳しくしながら、ウイルスと共存していく戦略を維持しています。

スウェーデンでは最初の第1波により高齢者施設で多くの死者が出ましたが、その後の波は他国に比べて低く抑えられています。ＰＣＲ検査を適正な条件で使いながら、ウイルスとの共存を視野に、冷静に行政がなされていることがうかがえます。

井上正康

第3章

コロナワクチンの正体と今後の視野

人類が初めて試す遺伝子ワクチン

今、新型コロナウイルス対策として、ワクチンが期待されています。ヒトの体は病原体が侵入すると、これを排除しようと抗体をつくります。抗体ができると、次に同じ、もしくは類似の病原体が入ってきても感染しにくくなります。この働きが免疫です。この仕組みを利用し、人為的に弱毒化した病原体などを接種して免疫力を誘導するものがワクチンです。

ワクチンにはいくつかの種類がありますが、一般的によく知られているのが「生ワクチン」と「不活化ワクチン」です。

生ワクチンは、病原体を弱毒化して人体に接種するものです。病原性を弱めて弱毒化しているとはいえ、生きた病原体を接種するので自然感染した場合とほぼ同程度の免疫力を獲得できます。これには、ＢＣＧ、麻疹（ハシカ）、おたふくかぜなどがあります。生ワクチンは生きている弱毒の病原体なので、突然変異などで先祖返りしたり強毒化することもあるので、有効ですが、危険性もあります。

不活化ワクチンは、病原体を化学的処理などで死滅させてつくります。生ワクチンに比べると安全ですが、化学処理などで病原体の抗原分子の構造が変化します。そのため安全ではありますが、免疫誘導能は生ワクチンよりも低くなります。したがって免疫力をつけるために複数回の接種が必要です。これにはＢ型肝炎、日本脳炎、インフルエンザ、ジフテリアなどがあります。

現代のワクチン開発は、このような古典的な方法ではなく、「遺伝子ワクチン」が主流になっています。ウイルスの特定の部位に対して、遺伝子工学的手法でそこに特異的に結合する特異的抗体をつくらせるものです。従来のワクチンのように病原体そのものは使わず、病原体の遺伝子を使ってつくられるワクチンです。開発のスピードも、ケタ違いに速くなっています。

今回の場合は、コロナウイルスのスパイクの部分をつくるための遺伝情報であるＤＮＡやｍＲＮＡ（メッセンジャーＲＮＡ）を用いています。これを接種すれば人体の細胞内でスパイクタンパク質がつくられ、これに対して免疫反応が起こることで抗体などをつくる仕組みです。

遺伝子ワクチンは、これまで家畜などに対しては使用例や実験例が多くありましたが、人体に対して大々的に使われるのは今回が初めてです。

遺伝子ワクチンの何が問題か⁉

遺伝子の基本原則に「セントラルドグマ」と呼ばれるものがあります。細胞核のDNAの遺伝情報はmRNAによって読み取られ（転写）、このmRNAの情報によってタンパク質が合成されます（翻訳）。通常、細胞内では遺伝情報がDNA→mRNA→タンパク質へと一方向に伝えられます。この一方向性は細菌からヒトまで、あらゆる生物で共通の基本原則なので「セントラルドグマ」と呼ばれています。

ところが、ウイルスにはRNAを鋳型にしてDNAを合成する酵素（逆転写酵素）を持つレトロウイルスと呼ばれる集団がいます。エイズウイルスやがんを発生させる腫瘍ウイルスなどです。これらのレトロウイルスは、逆転写酵素の働きによって自身のRNA遺伝子をDNAに転写し、宿主のDNAに組み込まれることで長期間に渡り安定的・効率的に増殖していくことが可能です。このようにウイルスの遺伝子が細胞の核内遺伝子に取り込まれる反応を「溶原化」といいます。これは生物界における『トロイの木馬』のような現象です。

万が一、コロナウイルスのスパイク遺伝子がヒトのDNA中に溶原化し、その遺伝子が長期間発現し続けることになれば、これを異物と認識して白血球が常に攻撃し続けて自己免疫疾患を発症しかねません。核のDNAが改変されているのでなかなか元に戻すことはできません。そのことは、生涯にわたって自己免疫疾患的な副反応を抱え続けなければならないということを意味します。そういうことが本当に起こるのかどうかは、実際にやってみなければわかりません。

実は、ヒトの遺伝子の約30%はウイルス由来であることがわかっています。残りの大半も、腸内細菌をはじめとするさまざまな共生微生物に由来しています。私たちは、進化の過程でこれらの微生物から巧みに遺伝情報を取り入れ、自らの生き残りに活用してきたのです。ヒトは太古のウイルスや微生物の遺伝子から進化してきた末裔なのです。

このような悠久の時を経て進化してきたプロセスを無視して、突然、人為的に異質の遺伝子を注入するのが遺伝子ワクチンです。事実上、遺伝子改変と同じ医療行為を施すことになります。それが人体にどのような影響を与えるのかは、年単位の長いスケールで観察しないとわかりません。

これが今回の遺伝子ワクチンの見えないリスクであり、専門家すらも予想困難な問題なのです。

解決されていないＡＤＥのリスク

ワクチンは病原体に対する有効な武器ですが、その半面、強い副反応や後遺症が大きな問題になることも少なくありません。

いまだはっきりとした因果関係はわかりませんが、今回の遺伝子ワクチンについてはすでに海外で接種直後のアナフィラキシーショックなどによる死亡例が報告されています。これは従来型のワクチンの接種後にも起こりうる副反応ですが、インフルエンザなどに比べるとかなり頻度が高いようです。このことから、ノルウェーやスウェーデンをはじめとする北欧では一時的に接種が中断されています。しかし、このような副反応はＲＮＡウイルスに対するワクチンの本格的な副反応ではありません。

実は、変異の激しいＲＮＡウイルスでは、抗体ができることにより逆に病態が増悪して死亡する〝抗体依存性感染増強（ＡＤＥ）〟が起こる可能性があります。本来、ウイルスが抗体に結合すると白血球に取り込まれて分解除去されます（中和反応）。しかし、突然変異が激しいＲＮＡウイルスの場合には、抗体と結合した変異ウイルスが白血球に取り込まれても分解されず、逆にウイルスが異常増殖してサイトカインストームで一気に重症化します。これがＡＤＥと呼ばれる危険な現象です。

実は、18年前のＳＡＲＳでワクチンを開発していた際にＡＤＥが起こることがわかり、それ以来、ワクチンの開発が中断されました。ＭＥＲＳ、デング熱、Ｃ型ウイルス肝炎、エイズなども危険なＲＮＡウイルスによる感染症ですが、いまだに有効なワクチンは開発されていません。

これは突然変異の激しいＲＮＡウイルスの場合、いずれもＡＤＥが起こる可能性があるからです。新型コロナウイルスもＲＮＡウイルスですから、ＡＤＥが起こるリスクがあるのです。本来、病気でない健常者に接種して抗体産生を誘導するワクチンでは、十分に時間をかけて安全性を検証することが不可欠です。しかし、パンデミックになったことで、世界中がパニックに陥り、冷静な判断ができない状態であわてて実用化に踏みきってしまいました。

非常に死亡率の高い感染症が広がっているときならば、多少の副反応などのリスクがあってもワクチンを接種するという選択はありえます。しかし、日本のように圧倒的に死者や重症患者が少なく、多くの国民が土着コロナや新型コロナの弱毒株に何度も無症候性感染している日本では、あえてリスクを冒す必要はどこにもありません。

海外ではパンデミックの恐怖からワクチン争奪戦が繰り広げられていますが、これは安全性試験が不明な人類史上初の遺伝子ワクチンが一気に何億人にも接種される壮大な人体実験なのです。日本人はその人体実験の推移を冷静に観察しながら、遺伝子ワクチンが本当に必要か否かをじっくりと考えることができる幸運を生かすべきです。

〝ワクチン戦争〟に取り残される日本

生ワクチンや不活化ワクチンが20世紀型ワクチンだとすれば、遺伝子ワクチンは21世紀型ワクチンとも言えます。

今回の新型コロナワクチンの多くは、ＤＮＡやｍＲＮＡを利用した遺伝子ワクチンです。実は、この新しいタイプのワクチンは軍事用に開発されてきた医薬兵器なのです。このの発端は、１９９３年にオウム真理教が起こした炭疽(たんそ)菌散布事件に始まります。その後、２００１年の米国同時多発テロの直後に、メディアや政治家の事務所に炭疽菌が郵送されるバイオテロが起こりました。これに危機感を募らせた米国防総省ペンタゴンが事態の深刻さを認識し、生物兵器対策の軍事物資として遺伝子ワクチンを開発することを決めました。

テロ対策は一刻を争うので、ワクチンは安全性よりも開発スピードが何よりも重視されます。従来のワクチン開発では何年もかかりますが、ゲノム科学の飛躍的進歩により、今では多様な病原体に対するワクチンをきわめて短期間に開発することが可能になりました。遺伝子ワクチンならコストも安く、大量生産が可能というメリットもあり、米国をはじめ、中国、ロシア、英国、フランスなどでは医療政策と同時に安全保障政策として進められてきました。そのため、新型コロナのワクチン開発をリードする国々は、すべて軍事大国という共通の特色があります。

今回、全世界で何億人もの人間が遺伝子ワクチンを接種されつつあります。これから何が起きるのか――ワクチンの急性反応、中期反応、長期反応――。世界初の大規模人体実験の結果を正確に把握することは、医薬品としても軍事物資としても有用な遺伝子ワクチンの開発に不可欠な情報になります。

遺伝子ワクチンは遺伝子構造を少し変えることにより、どんな病原体とも戦えるようになり、その開発は軍事的世界で優位に立つことにつながります。純粋な医学的目的に加え、安全保障も遺伝子ワクチンをつくる重要な動機なのです。ワクチン開発は、健康政策であると同時に国防政策でもあるのです。有効でリスクの少ない遺伝子ワクチンを手にすれば、パンデミックのみならず、どんなバイオテロでも迎え撃つことができると考えられています。

軍事物資として遺伝子ワクチンを開発している国々は、固唾をのみながら今回の結果を注視していると思われます。２０２１年は彼らにとって、その見きわめの重要な年になるでしょう。そんな世界から隔絶されて置き去りにされているのが〝自称先進国〟の日本なのです。

なぜ専門家はまちがえるのか

「神は細部に宿る」と言われるように、物事を考える際には焦点を定めて詳細に観察することが大事です。そこから物事の詳しい成り立ちがわかり、今まで見えなかったことが明らかになるからです。それと同時に、同じ物事を少し離れたところから眺め、全体像や周辺の様相との関係を見る視点も重要です。これを「俯瞰力」と言います。

たとえば、ＰＣＲ検査は遺伝子のわずかな断片でも検出できる優れた方法ですが、その利用法を誤ると逆に大きな弊害となります。特に、今回のように突然変異の激しいＲＮＡウイルスの臨床診断にはＰＣＲは適しておらず、さまざまな混乱を引き起こしています。

この検査法は、ＳＡＲＳ、ＭＥＲＳ、エボラのように、感染したウイルスが増殖する時期と発症までの潜伏期が短く、致死率がきわめて高い感染症の診断には有効でした。この成功体験から、ＰＣＲ検査が新型コロナの感染の有無を告げる〝ご神託〟のように扱われてしまいました。このような思い込みが〝専門家〟と呼ばれる人たちに刷り込まれてしまうと、それにそわない見解は片隅に追いやられてしまいました。

しかし、同じＲＮＡウイルスでも、感染力は強いが潜伏期間が長く、大半が無症状や軽症で経過する新型コロナでは、その不適切な誤用が大きな混乱を招いて人災的被害を深刻化させました。これは多くの専門家が自らの狭い専門分野だけで研究し、物事を広い視野で診る俯瞰力を養ってこなかったからです。

ＡＩに翻弄されないために必要なこと

いわゆる専門家は、特定の分野に関しては詳細な知識を持っていますが、多くの場合はそれ以外のことを学んでいる余裕はありません。専門分野のことを詳しく知らなければ、世界と戦えないからです。医学研究の分野でもトップランナーになると、その頂上にノーベル賞などのご褒美が待っています。しかし、他の分野に関しては研修医や大学院生の頃の知識で止まっています。

学問分野の情報はものすごいスピードで増え続けており、その量は個人の処理能力をはるかに超えています。科学研究がＡＩに頼るようになったのもそれが主な理由です。あらゆる問題に対してＡＩが神のごとく答えを出すという事態が始まっています。

ＡＩの判断のもとになっているのは、これまでに蓄積された無数のデータです。これまで人間が正しいと思っていたデータに基づいた答えは出せますが、どのような思考プロセスを経てその結論に至ったのかは知ることができません。また、インプットされた膨大なデータ自体の信憑性（しんぴょうせい）を検証しているわけでもありません。魑魅魍魎（ちみもうりょう）の人間界では、科学の世界でも多くの情報に誤解や無意識的欲望のバイアスがかかることが少なくありません。数学や物理学と比べて最も未熟な科学である医療の分野では、欲望が絡むと今回のコロナ騒動のようにさまざまな不条理が表出します。

〝情報爆発〟の只中に置かれてＡＩに頼らざるをえないことが、現代医学のアキレス腱となっています。スパコン「富岳」が映し出した呼気中のミスト画像は、テレビを見ている国民を震え上がらせ、政府に緊急事態宣言を発動させ、その結果〝飲食店が感染拡大の元凶である〟との誤情報で自粛時短営業が強要されました。

しかし、その時期には新型コロナの感染源の1位が家庭（20～60％）、2位が病院や高齢者施設、3～5位が誤差の範囲の教育施設、飲食店（約5％）、そして職場の順であることが判明していました。この「富岳」の画像は主感染ルートとは無縁な呼気中のミストの映像ですが、あたかもこれが新型コロナが〝呼気感染〟するとのイメージを刷り込むには強烈な力を発揮しました。利用法を間違え、国民にとんでもない誤解や思い込みを浸透させる強力な武器となりました。このような状況の中で、ノイズとシグナルをどのように選別するかが、今後の世界を生きていくうえで重要な課題となっています。ＡＩに翻弄されないために、人類が蓄積してきた直感的叡智を研ぎ澄ますことも現代人の重要な課題です。

震災後の東北で災害科学と農業を学ぶ

医学における私の専門は分子病態学です。これは、解剖学、生理化学、病理学、微生物学、薬理学、分子栄養学、内科学、外科学、脳科学、精神医学などを統合してタコツボ的な専門分野にとらわれず、健康と病気と生命のドラマを俯瞰的に科学する学問です。

国内外の大学でさまざまな分野で実験科学や臨床医学を半世紀近く学びながら、10年前に大阪市立大学を定年退官しました。ちょうど定年を迎えた春に東日本大震災が起こり、宮城大学の西垣克学長から副学長として復興支援の手伝いをしてほしいと依頼されました。そこで大阪市立大学の石河修医学部長から3台のガイガーカウンターをお借りし、退官翌日の4月1日に山形空港経由でなんとか仙台へたどり着きました。その6日後の4月7日にマグニチュード7・2の余震に見舞われ、入居直後の駅前のマンションに住めなくなり、宮城大学赴任直後から西垣克(まさる)学長の自宅に居候の身となりました。

毎朝、学長に運転手をしてもらいながら大学へ通い、仙台を拠点に多くの学生やボランティアと一緒に東北3県の被災地を回りながら、災害科学と農業を学ぶ機会を得ました。

春先から夏にかけて暖かくなった被災地域では、さまざまな死骸が腐敗臭を放つようになりました。洪水や津波の後では、修羅場と化した被災地で病原菌による感染症が蔓延する可能性が心配されました。実は、大阪市大の現役時代に大幸薬品株式会社の消毒薬・クレベリンの研究を指導させていただきました。そのようなご縁から、柴田高社長から80トン近いクレベリンを無償で分けていただきました。これを宮城大学と宮城県庁に運び込み、津波で破壊された気仙沼や石巻漁港の冷凍倉庫から溢れ出た腐敗魚臭の中を迂回しながら、ボランティアや職員たちと一緒にこの大量のクレベリンを被災地の避難所へ届けて回りました。被災地でこのような感染予防活動をしながら、カビが生えかけていた50年前の学生時代の知識から最新の感染症学の知識へと一気にブラッシュアップする機会をいただきました。この際に学び直した感染症学の知識が、今回のパンデミックや日本での新型コロナ感染を俯瞰的に診る大切な武器になりました。

　被災地で学んだもう一つのことが、農業の重要性でした。福島原発の水素爆発によりセシウムで汚染され、地盤沈下した仙台平野で農業を再生する手段の一つとして、水耕栽培の先進国であるオランダから農水の専門家を招いて直接指導を受けました。彼の地ではパソコンとハイテクで農業が展開されていることや土壌微生物の重要性を新たに学びました。実は、われわれの腸内に共生している大量の共生細菌と同様に、土壌微生物の大半も酸素の無い世界で活発な代謝を営む嫌気性菌と呼ばれる微生物です。このことが帰阪した後に腸内細菌移植医療に関わるきっかけとなりました。また、原野と化した福島の地域では、野生化した牛を捕獲しては病理解剖し、放射能測定を繰り返していました。この際にも大学院時代に取得した病理解剖の知識と資格が大いに役立ちました。

その後、大阪に戻り約10年が経ちましたが、今では塩害も薄まり、豊かに蘇った仙台平野が毎年の実りを届けてくれています。

ヒトは微生物と共生している

農業では土壌微生物が重要ですが、植物を育む彼らは酸素のない地中で呼吸しながら生きている微生物なのです。実は、このような嫌気性微生物が地中５０００ｍの深さまで生息しており、地球最大のバイオマスなのです。その中のごくわずかな薄い地表の微生物群が植物の世界を支えているのです。

ヒトの腸内に共生している無数の細菌たちも、大半が土壌微生物と同様に、酸素のある世界では生きていけない嫌気性細菌です。彼らは人類が誕生する、はるか昔の先カンブリア時代から地球で生息してきたわれわれの先祖の仲間なのです。

彼らの末裔がヒトや動物の腸内で太古の地球と同様の腸内環境で無酸素代謝を繰り広げています。この腸内の嫌気性細菌群が動物界を育んでいるのです。動物が呼吸で吐き出した炭酸ガスと、植物が光合成で放出した酸素が相互交換されることにより、動物界と植物界が共存していくことが可能になります。このようにして、地球全体が一つの超生命体として呼吸しているのです。

腸内細菌は「腸内フローラ」とも呼ばれており、ヒトでは数百兆個もの多様な細菌群が共生しています。人類はひょっこりと地上に現れたのではありません。38億年前に生命が誕生して以来、微生物から始まる進化のドラマが人体を誕生させたのです。

ヒトの遺伝子は2万個程度ですが、腸内フローラの遺伝子はその1000倍以上もあります。遺伝子の観点から見ると、〝ヒトは細菌の乗り物である〟とも言えます。彼らの多様な代謝機能のおかげで、ヒトも健康に生きていけるのです。

私は腸内フローラを〝4次元的な代謝臓器〟と考えており、彼らとの平和共存がヒトの健康の基本であると確信しています。感染防御に重要な免疫系の約70%は腸管に存在します。それは口や鼻から食物や空気とともに無数の微生物が腸管内に流入しており、その中には病原性を持った輩もいるからです。ヒトでもこの免疫系が感染防御の主役を担っています。

このために、大学の研究室では活性酸素代謝や感染防御の観点から、虫歯や歯槽膿漏の原因となる口腔内細菌、胃潰瘍や胃がんの原因と考えられているピロリ菌、O‐157の仲間である大腸菌などの代謝も研究していました。東北の被災地から帰阪し、以前から注目していた腸内細菌の共生のメカニズムや難病治療法としての腸内フローラ移植の研究を新たに始めました。それはヒトの代謝系と腸内細菌の代謝系が調和することにより健康が維持されていと考えているからです。腸内細菌移植は今世紀の医学研究で最も革新的な分野を切り開くと思われます。

実は、ヒトの遺伝子の大半は、生物進化の過程でウイルスやこれらの共生微生物のご先祖からもらったものなのです。事実、ヒトで見られる大半の酵素の遺伝子はすべて微生物にも存在します。残り30％の遺伝子はウイルスに由来する遺伝子です。たとえば、がん遺伝子や、がん抑制遺伝子もウイルスの遺伝子に由来し、ヒトや動物はこれらの遺伝子を生理的な細胞分裂制御に利用しているのです。

ヒトもウイルスや細菌の遺伝子を組み込みながら進化し、今もそれらを利用しながら高度な生命体として生存し続けているのです。その事実を見つめれば、「ウイルスを完全に排除する」とか「ゼロコロナ」などという発想は無知以外の何ものでもありません。

コロナ騒動から学ぶべきこと

今回のコロナ騒動は、感染力が約6倍強くなった季節性ウイルスによる風邪を、世にも恐ろしい伝染病のようにメディアが思い込ませたことによって引き起こされました。日本では感染者や死者が少なかったので、連日のようにイタリアやニューヨークの病院の惨状をテレビで繰り返し放送し続けました。大金をかけて開発したスパコン「富岳」を用いて解析した飛沫拡散映像も繰り返し放映されました。

その結果、多くの国民は一気に恐怖感を煽られて過剰反応しました。こうして飛沫を極度に恐れるようになった私たちは、ほとんど効果がないアクリル板を机やテーブルに立てて会話するようになりました。寒い真冬でも家や電車の窓を開けて換気するようになりました。外出時はもとより、家の中でも真夏の屋外でもマスクを手放せなくなりました。

しかし、昔から寒い冬に風邪を予防するには、ストーブや暖炉で部屋を暖かくし、やかんなどでお湯を沸かして湯気を立たせて湿度を高くすることが基本でした。現在では、コロナウイルスのＲＮＡ遺伝子が低温低湿の冬季に長く安定化しており、体が冷える寒い冬には免疫力が低下するために風邪をひきやすいことが科学的に証明されています。これが新型コロナの重要な特色なのです。今回のように無数の情報が暴走する時代には、人間が古くから無意識的に行ってきた生活の知恵を思い出すことも大切です。

私たちは、今回のコロナ騒動からどのようなことを学べるのでしょうか。新型コロナによる少ない死者数でも、それが切り取られて独り歩きさせられると、どのようなシナリオでも捏造することが可能になります。しかし、その死者数とがん、心臓病、脳血管障害、老衰、自殺、インフルエンザ、そして交通事故などによる死者数を一つの机の上に同時に並べてみると、新型コロナの本当の実力が一目瞭然に明らかになります。

日本では高齢者を中心に毎年約１３０万人が亡くなっています。インフルエンザでは高齢者のみならず、若者や子どもも含めて毎年３０００~1万人が亡くなっています。しかし、昨年と今年は感染力の強い新型コロナによるウイルス干渉のおかげでインフルエンザによる死亡者が激減しました。これは超過死亡数の減少からも明らかであり、日本の減少率が世界一大きいこともわかっています。感染症に限らず、何事に関しても俯瞰的な視点で考えることが大切です。

今回のコロナ騒動では、メディアの煽りや政府の不作為で全国民が大変な被害を受けました。しかし、この政府を選んだのはわれわれであり、テレビを見て右往左往したのもわれわれ自身です。われわれはコロナウイルスの被害者であると同時に、この人災の加害者でもあります。日本人が80年ぶりに再現させた「失敗の本質」を俯瞰視し、情報に惑わされずに幅広い視野で物事を冷静に判断できる国民が育つような教育こそ、今後の日本の重要な課題だと思います。

Q&A

Q　ワクチンは安全性の問題で慎重に考える一方で、今の状況でも打ったほうがよい人はどんな人でしょうか。

A　大半の日本人はすでに集団免疫状態にあるので、国内で普通に暮らす上でわざわざワクチンを打つ必要はありません。

ただし、免疫的に問題を抱えた医療現場や高齢者施設、および外国からワクチン接種を義務づけられた海外渡航者などではワクチンの接種を求められることがあると考えられます。この場合も必要不可欠な場合に限り、最小限に利用することが大切です。

Q　ワクチンを接種したら、どれくらいの期間、感染予防効果があるのでしょうか。たとえば、1年後に感染予防効果がほとんどなくなるとしたら、毎年ワクチン接種が必要になるのでしょうか。

A　接種後、何か月間感染予防効果を維持できるのかに関しては、観察期間が短く正確なデーターが入手できないために現時点では不明です。

今回のワクチンは主にDNAやmRNAの製剤であり、「筋肉内に接種された後、その多くはリンパ液により鎖骨の下にある静脈系に運ばれ、肺、肝臓、その他の組織の細胞に取り込まれ、細胞内でスパイクタンパクを産生し、それに対して免疫反応を誘起すること」を目的としています。メーカーは「mRNAワクチンはスパイクタンパクを産生後は速やかに分解消失するので遺伝子に組み込まれる可能性はない」と教科書的説明をしています。

しかし、投与したmRNA制剤がどのような細胞集団に取り込まれるかは不明であり、従来のワクチンや自然感染時のように、細胞内でセントラルドグマに従い「DNA→mRNA合成→スパイクタンパク質合成→mRNA分解消失」と教科書的に進行するか否かのデーターは無いか、あるいは開示されていません。

コロナウイルス族に関する過去の免疫学的データとしては、以下の事実が判明しています。

①新型コロナとSARSウイルスのゲノムのホモロジーは約80%で、スパイクの分子構造は酷似している。
②SARSの重症例では抗体価が比較的長期間維持されるが、軽症例ではきわめて短い。
③新型コロナでは大半が無症状～軽症であり、その場合の血中IgG抗体の平均的半減期は約36日であり、半年後には抗体価が約1%以下になる。
④遺伝的ホモロジーが約50%の従来型土着コロナによる風邪には毎年かかる可能性がある。
⑤スパイクタンパク質が細胞内で合成される際の先頭部分（N末端部位）部位に対する抗体は新型コロナを含む多くのコロナウイルスとも交差免疫性を示す事が明らかにされている。

以上のことから、メーカーの説明どおりに「mRNAが速やかに分解され、新型コロナの自然感染と同様に免疫系が活性化～記憶される」のであれば、大半の接種者では自然感染者と同様に1年後には抗体価が測定限界以下となり、毎年接種しなければ通年通りに感染する可能性があります。したがって、新型コロナへの感染を回避したい方は毎年接種する必要がある可能性があります。

Q 今回の遺伝子ワクチンは、万一薬害が起こった場合は日本政府が保証するとの条件で1兆円近い金額で購入されたものです。税金を無駄にしないためにも全国民に接種すべきではないでしょうか。

A 今回の遺伝子ワクチンはパンデミックの恐怖感から世界中がパニックで冷静な判断ができない状態で争奪戦を繰り広げています。そのためにワクチンに不可欠な安全性試験が無視されており、何億人もの健康な人々に人類初の遺伝子ワクチンをいきなり接種するという医学常識では考えられない人類初の大規模人体実験となっています。ところで、動物ではコロナワクチンに関する研究が古くから行われています。これらの動物実験では、ワクチンを接種された猫が2年以内に全例死亡したことも知られています。動物の免疫特性は種により異なりますので、ヒトでも猫と類似した重篤な副反応が起こるか否かは誰もわかりません。経験の科学である医学では、初めての試みは慎重過ぎるに越したことはありません。

生命科学では汎動物学（Zoobiquity）と呼ばれる学問があります。これは特定の生命現象や薬の作用を動物の種を超えて比較観察することにより、生命や病気の共通原理を解明する学問です。私は若い頃から汎動物学の重要性を意識し、医学研究でもさまざまな生物を用いて同じ薬の作用などを研究してきました。口内細菌、大腸菌、ミドリムシ、オタマジャクシ、カブトムシ、カイコ、マウス、ラット、モルモット、ウサギ、犬、ミニブタ、そしてヒトなどに活性酸素代謝を制御する試薬を与えると予想された共通の現象のみならず、常識が吹っ飛ぶような現象が起こることが少なくありません。ミトコンドリアのエネルギー代謝に関与する物質が、ヒトではさまざまな病気を改善すると同時に、他の動物では細胞の生死、昆虫の感染防御や変態速度、老化速度、あるいは性の決定に関与するなど、目を見張るような驚きの世界が見えてきます。これらの研究から、ある動物で起こった生物現象はヒトでも起こりうるだけでなく、まったく予想もしない反応が起こりうるという事実を学びました。

猫とヒトの代謝は異なりますが、コロナワクチンに関して猫で観察された現象はヒトでも起こる可能性があり、誰も予想しなかった副反応が起こる可能性もあります。医学は経験の科学であり、初めてのヒト試験ではきわめて慎重に恐る恐るテストすることが基本です。

一方、コロナウイルスの仲間であるＳＡＲＳやＭＥＲＳが旧型のコロナウイルスから誕生したように、今回の新型コロナからも同様の超強毒株が突然誕生する可能性もあります。そのような本当の非常事態に備えて、政府が大金を出して購入した遺伝子ワクチンの大半は備蓄に回し、海外での遺伝子ワクチンの短期及び長期の副反応を冷静に観察しながら利用することが、科学的で国民の利益にそった対応になると考えられます。新型コロナの弱毒株に早期に感染してコロナウイルスへの集団免疫を確立している日本人は、その幸運な立場を科学的な武器として冷静に対応することが大切です。日本政府や免疫学の専門家は、そのことの重要性を国民に伝えて、健全で科学的な政策を展開すべきです。

松田 学

第4章

新型コロナに、政治はどう向き合ってきたのか？

政治は新型コロナにどう向き合ったか？

思えば２０２０年の新年には、世界中がまだ新型コロナウイルスの脅威には気づきもせず、これほどまでの被害を及ぼし、世の中の風景をすっかり変えてしまうことになろうとは、誰一人として予想もしていませんでした。しかし、１月の終わりにはかなりまずいという認識が広まり、私も松田政策研究所から配信しておりますメルマガのコラムで２月初めにはパンデミックになる可能性があるという記事を書いています。

「武漢で極秘の細菌兵器開発に関わっている疑いのある研究所からウイルスが漏れたとの記事が、トランプが朝起きて読む新聞とされるワシントンタイムズに掲載されたそうです。まさか、禁止されているはずの生物化学兵器……！　その事の真偽は別として、今般の新型コロナウイルスが未曽有のパンデミックになる可能性が高いのは事実のようです。

今回のウイルスがなぜ脅威なのか。疫病の世界的流行が起きるのは、ウイルスの保持者が動きながらまき散らすからであり、今回のウイルスのように致死率が数％と低い場合です。特に、新型コロナは子どもが感染しても発症せず、元気に動き回って親や祖父母、高齢者に感染、男性の高齢者がとりわけ危険とのこと。武漢からの帰国第一便には検査拒否者が出て、うち1人が子どもでした。

患者は1日53％ずつ増えており、計算では2月20日には1・4億人になるという数字もあるそうです。それは指数関数的に増え、ピークは4～5月頃……、東京五輪は中止（？）との噂も……。こうなると、公衆衛生や医療を超えた国家危機管理の問題です。さすがの『お・も・て・な・し』の国の日本も、中国の一部地域からの渡航者の入国制限に踏み切りましたが、観光、経済どころではないでしょう。危機管理はのちに過剰と言われても、悲観的想定で行うべきものです」

どうでしょうか。さすがに2月20日に1・4億人にはなりませんでしたが、1年間で世界で1・2億人を超え、パンデミックは現実になり、東京オリンピックは延期、インバウンド政策で大量流入していた外国人観光客も渡航中止。国家危機管理問題はその後、大きなテーマとなりました。何より当選は確実と考えられていた米国のトランプ氏も、コロナによる郵便投票を逆手に取られ、バイデン氏に敗れています。

新型コロナで、もうコロナ以前の世界に戻ることはありえないと言われています。では、このパンデミックに対して、政治はどう向き合ったのか、政治はどう変化したのか。

第二次安倍政権は「自由で開かれたインド太平洋」やクアッドなど外交安全保障面では歴史的な成果をあげた政権でしたが、当初掲げた課題の達成度という観点からみれば、これだけ最長の安定政権でありながら、これだけ道半ばで終わった政権はなかったという言い方もできるかもしれません。もちろん、憲法改正、デフレ経済からの脱却、北方領土、拉致問題……と、掲げた課題があまりに遠大だったということもあるでしょう。こうした難題を抱えた政権に、不幸にも新型コロナが襲いかかり、そこに再び総理を病魔が襲う。安倍総理の応援者として、辞任は本当に残念な事態でした。しかしながら、安倍政権のコロナ対策はお世辞にも十分なものとは言えませんでした。辞任の記者会見でも、私が期待していたのは新型コロナの終息宣言でしたが、やはり宣言はされませんでした。

聞くところでは、メディアの煽り報道にもかかわらず、安倍総理、菅官房長官、加藤厚労大臣（当時）のいずれにも、上久保靖彦京都大学大学院特定教授から「集団免疫」の話が入っており、政府が間違った方向に行くのを少しでも抑えていたとのこと。上久保教授が集団免疫の論文を出したのは3月27日です。それならばもう一歩踏み込んで、国民と正しい感染症の知識を共有し、正しい対策を打ってほしかった。しかし最後まで、それはなされませんでした。

新型コロナでの政権対応では、国民に対するリスクコミュニケーションという観点から、もっと国民に対し率直に語りかけてもよかったかもしれません。しかし、病気がそれを許さず、6月以来辞任表明まで安倍総理が記者会見を開かなかったのは、やはり総理の体調不全でした。しかしながら、それだけが理由ではないと思います。もりかけ桜とか忖度などと批判されたのも、政権による率直な説明やコミュニケーションの不足による面が大きかったのではないでしょうか。政治家には、国民に対して真実を伝える責務があり、そのための勇気がなければならないと思います。

現場の医者も政治家も日本が「集団免疫状態」だと知っていたのに……

私が松田政策研究所チャンネルで新型コロナに関する議論発信を本格化したきっかけは、友人である医師から届いた一通のメールでした。彼は私の大学時代の同級生で、同じサークルで寝食を共にした？　仲ですが、東大医学部卒業後、某国立病院臨床内科で名医と言われ続けた優秀な人物です。そのメールには、「日本では新型コロナはバカ騒ぎです、ＰＣＲ検査で陽性反応しているかなりのケースが、遺伝子構造が未確認の無数の土着コロナ亜種に反応しているとしか思えない、このバカ騒ぎが早く終わることを祈っています」と書かれてありました。何十年も前からの友人ですから、いい加減なことを言うような人物ではないことはよくわかっています。その後、何度も彼とのやり取りを通して、これは言われているような状況とはかなり異なるのではないかという思いを強めていきました。彼は現在でも、自分のその見方は１００％正しいと思っているとしています。

同じサークルにいた生物学を専攻する大学教授も、この議論に加わりました。彼はＰＣＲを専門にしていたこともあって、この検査が新型コロナウイルスを正しく判定する上ではいかに不正確であざとい検査であるかを説いていました。ただ、両人とも立場上、自分からは世の中に対して言えないということでした。出身校が総合大学であるというのは、こうした人間的な信頼関係に基づいた学際的な知のネットワークを自らの専攻分野を超えて得られるメリットがあると痛感します。

現在でも現場の医療人の方々から、私のチャンネルの番組をみて、まったくその通り、しかし、自分からは言えない、という声が次々と届いています。医療界というのはいったいどんな世界なのか……。国民の健康や命を第一にしているはずなのに……。

そんなときに私が安倍総理のブレーンの方から聞いたのが、日本はすでに集団免疫の状態にあるということを安倍総理も政権要路も上久保先生から聞いて知っているということでした。政権トップも医療の現場も知っている、知らないのはメディアからしか情報を得られない一般国民。ならば、立場上言えない彼らに代わって自分のチャンネルで……。こうして私は、上久保先生や、本書の井上先生といった方々と対談を重ねることになった次第です。

現在では、新型コロナについて最もわかりやすく話してくれる人ということで、このテーマについて私が講演を求められることもしばしばあります。経済や財政、情報技術や外交安全保障についての講演をしてきた私には、まことに困ったことながら、正しい知の共有に向けて、できるだけそうした機会には応えるようにしています。困ったことと言うのは、こうしたことは私のような素人ではなく、専門家が行うべきことだからです。井上先生のようにこの問題について積極的に正しい知識の普及活動を行っている専門家はきわめて稀（まれ）なようです。これは、私が本書で訴えたいテーマとも強く関係している問題でもあります。

大学時代の友人である前述の医師からいろいろと聞いていた私は、当初から、人類が共存してきたウイルスの世界は、まだ人間には未知の領域が大きい複雑系だということ、断定や思い込みで異説を排することなく耳を傾ける謙虚な姿勢こそ、専門家ではない者がとるべき科学的な態度ではないかというスタンスで、新型コロナウイルスというテーマに向き合うこととなりました。そして、折に触れて、政権には、冷静な科学的根拠に基づく政治判断を求めてまいりました。同時に日本では欧米に比べて死者数が桁違いに少ない理由が何なのかを、各分野の専門家と議論しながら積み上げておりました。その結果、日本は早い時期に「集団免疫」が確立された状態になっており、一人ひとりが外出自粛をやめ、外に出て活動し免疫力の維持向上に努めることこそが、最上のコロナ対策ではないかとの意見を持つようになりました。

その点で2020年4月7日に発せられた緊急事態宣言や、5月4日に出された新型コロナウイルス感染症専門家会議による裏付けに乏しい発表（緊急事態宣言延長を示唆）、「新しい生活様式」の提言等には大きな疑問を感じました。その後、集団免疫説の上久保先生や本書の共著者である井上正康先生に出会い、私の確信は深まりましたが、当時はまだ不明な点も多かったし、そもそも専門家ではないので、懸命に有識者との対談を続けておりました。もちろんその理由は、このままコロナの行方に命運を握られたままでは経済のみならず、政治も社会も文化的な活動も悲惨な状態になると感じていたからに他なりません。

国民とのリスクコミュニケーションを先頭に立って行うのがリーダーのあるべき姿だったのに……

時間がかかる特効薬の誕生やワクチンの開発・普及がない限り、それ以外にこうしたウイルス感染症の真の着地点がないのが集団免疫です。残念ながら当時は、「集団免疫」と言った途端に「高齢者を見殺しにするのか！」などという罵声を浴びて、データに基づいた科学的な議論もできない状態でした。そこには牢固(ろうこ)たる「ゼロリスク」神話があったのですが、現在に至るまでそれは変わりません。

当時すでに、統計的には例年のインフルエンザほどの感染者も重症者も出ておりませんでした。むしろ、国民の多くが新型コロナウイルスに恐怖心を持つことが問題だったように思います。普段なら風邪をひいたら、「栄養のある物を食べて、寝て治そう」となるとところが、ＰＣＲ検査で陽性となると、無症状でも指定感染症の分類上、入院扱いとなる。そこでは医療スタッフが対応できない。重症化した患者のために必要な集中治療室のネックもスタッフ不足にある。インフルで３０００人死んでも報道もしなかったのに、新型コロナについては、ワイドショーなどのテレビ番組が１日中感染者数（正しくはＰＣＲ陽性者数）をこれでもかと流し続けるので、国民みんなが心から恐怖を抱いてしまった。メディアはＰＣＲ検査の拡大を叫び、検査を拡大すれば当然のことながら陽性反応をする人数も増える。そうなればすべて医療の対象。これこそ医療崩壊につながるもので、ＷＨＯがインフォデミックと言ったように、情報災害そのものだと感じ、専門家と対談を重ねておりました。その後の経緯を考えますと、現在に至る問題点がここにほぼ含まれています。

覚えておられると思いますが、政府は接触率8割削減を打ち出していました。西浦博北海道大学大学院教授（当時。現在は京都大学大学院教授）の非公式な場での発言のようですが、それがいつの間にか政府の方針になりました。東京では2週間後に1万人が感染するとも言われていましたが、「実際には３０００人。日本では普通のインフルエンザの患者数１１００万人、死亡者数３０００人が２０１９年の数字」……これは昨年春の緊急事態宣言の頃、アゴラ代表取締役所長の池田信夫氏が述べていたことです。インフルエンザの死者数は多い年では1万人とも言われています。

「85万人の重症者が出て42万人の死亡者が出る!」という西浦教授の発言は驚きと恐怖をもって迎えられ、繰り返しテレビで報じられましたから、一般の国民が受けた衝撃は非常に大きかった。当然、安倍政権の政策に大きな影響を与えたと思います。その当時、100万人あたりの死者は、イタリアやイギリスで300~500人なのに対し、日本は3人に過ぎなかったのですが……。

「パスカルの賭け」という言葉をご存知でしょうか。17世紀フランスの哲学者、パスカルが述べたものですが、「神が存在するかどうか、人間にはわからない。そのとき、神が存在するとして善行を積めば天国に行けるが、神がもし存在しなくても、善行を積むことは良いことだ」というもので、確率論の先駆けとも言われています。要するに賭けるか賭けないかと迷ったら、賭けてみればいいというほどの意味かと思いますが、それならば、危ないほうに賭けて何事もなかったらハッピー……ただ、新型コロナはこれですむでしょうか。

他のことならまだしも、失業、倒産で2020年は自殺者が11年ぶりに増えました。しなくてもよい廃業も増えるなど、二度と戻らない経済社会のダメージも相当なものがあります。コロナを心配したが、何もなくてよかったではすまない。コロナ以外なら、コロナ対策で何人死んでもいいのか？

経済がストップして、本当に困っている人々が急増しているなかで、昨年3月13日には新型コロナウイルス対策の特別措置法が成立、政府は4月7日に東京、神奈川、埼玉、千葉、大阪、兵庫、福岡の各都府県に緊急事態宣言を行い、16日には対象を全国に拡大しました。しかし、出口は明確ではなく、着地をどうするのかが国民的な話題になりました。そしてそれが曖昧なままに5月7日、再延長が決まりました。

経済不況は拡大し、解雇、廃業……の連鎖。ことに若い女性等の経済弱者が解雇され、自殺に追い込まれるという悲劇が起きました。今に至るまで経済不況による自殺者は増え続けています。1人の自殺者が出れば、一生癒えない傷を心に負う人が6人と言われます。その当時、ある精神科医の奥様から、「外出自粛のなかで患者が激増している。社会はひどい状態になっているのに、外出自粛がナンセンスだとわかっている現場の医師は多いのに、みなさん、言えないでいますよ」とお聞きしたときには、本当に怒りを感じました。

また、外出自粛の中で犯罪も増え、カネづるに困った反社勢力が債権回収で動き回っており、破産状態に至る方々が増えている。にもかかわらず破産申請しようにも、自粛の中で裁判所が休んでいてできない。破産申請ができないので、実際の倒産は統計に現れてこないなどということもあったようですが、そうしたニュースはテレビ、新聞であまり報道されていませんでした。

緊急事態宣言を延長する官邸、自民党はどうだったか。感染爆発している状況ではなかったから、自民党も菅官房長官（当時）をはじめ、多数派はやめたいと思っていたようです。しかし、「やってる感」を出したい官邸官僚には点数稼ぎになるということなのか？西浦教授の数字を取り巻きが利用し、安倍総理は記者会見でそれを使った……という裏事情があったらしいとも、あるルートから聞きました。本当だとすれば、苦しむ国民を尻目にひどいものです。

緊急事態宣言下、自粛活動を実際に可能にする上で、経済的裏付け、そのための大きな予算措置が必要なのは当然のことです。ただ、自粛には、国民誰しも被害者になるだけでなく、知らないうちに自ら加害者になる可能性が大きいから、自分自身以外の人も守る。そのことによって被害拡大を防ぐという根本的な目的がありました。しかしながら、安倍総理が再延長決定の会見の場で「当初予定した１か月で緊急事態宣言を終えることができず国民におわびする。首相として責任を痛感している」と述べられたために、自粛の本来の趣旨が曖昧になり、むしろ国民の政府依存体質を招く一面があったのではないか。メディア世論の動向を見ていて心配になりました。

今回の敵は見えない敵でしたが、敵から身を護るために塹壕（ざんごう）にこもるよう指令を出していた隊長が、まだ敵がいるから引き続き外に出ないよう隊員に要請するときに、果たして謝罪するものなのか？　政府の責任だ、申し訳ないとなれば、もっと金を出せとなる人たちが出現するのではないか、モンスタークレイマーにならないかと心配したものです。

いずれにしても、今回の感染症のように政府の力で抑えられるような性格のものではない事態を前にして、毎度のことのように「謝罪」を口にするのは、かえって国民に誤った認識を形成させることにならないかと心配します。国民は馬鹿ではありません。むしろ一国のリーダーとして事実を明らかにし、自らの哲学を語りかけ、自らリスクを取り、先頭に立って国民と共に共通の敵と戦おう。困難を克服して次への希望を国民と分かち合おうというメッセージをもっと出してほしかった。最近の日本にはこのタイプの政治家がいなくなってしまったと感じるのは、私だけでしょうか。

事実に基づいた科学的判断が批判される日本社会の弱点が露出した

ただし、マスメディアを含め国民の中には、いくら事実に基づいた意見を述べても耳を貸さず、頭から否定して非難する傾向が強く見られたことも事実です。松田政策研究所チャンネルで信頼できる専門家の発言を発信すると、多くの賛同者から共鳴の意見が寄せられる一方で、口汚く罵る書き込みも、ままあります。政権サイドからも、メディア報道で新型コロナを過剰に怖がる世の中の空気にうんざりしている声が聞こえてこなかったわけではありません。以下は、科学者である武田邦彦先生のお話です。

「今回のウイルスも最近、全容がわかってきた。その感染速度をグラフでラインを引いて見てみると、日本のラインは、欧州や武漢のようにきわめて高いレベルで感染が進んだ国々のラインよりもかなり低い位置にあり、しかも、後者の速度がマキシマムとなっている。

日本も、これ以上の速度にはならない。日本にある日突然、爆発的な感染が来ても、今の欧州の状態になるには1か月かかる。1日数百人の感染者数から、突然1万人になった時点で自粛に入るのでも、十分に間に合う。データはもうそろっており、予測が可能になっている。未知はもう過ぎて、既知になった。そこから判断すべきである。

2019年12月～2020年1月にかけて、日本には中国人がたくさんいた。入国制限に失敗したと言われるが、それで免疫がついた。ウイルスなので免疫でしか感染は止められない。それはインフルエンザも同じである。感染の際、ウイルスはそのトゲで細胞に付着する。それを切る薬ができればいいが、薬の発見は偶然によるもの。30年ぐらいかかる。

そもそもウイルスと人間とは共生系である。ウイルスは30億年前に地球に誕生し、人類は600万年前に誕生して以来、ウイルスを全て乗り切ってきた。

PCR検査は新型コロナウイルスの検出装置ではない。似たようなウイルスは全部検出してしまう。コロナウイルスの検査にはなるが、新型コロナの検査にはならない。

日本では毎年、冬になると10人に1人がインフルエンザに、10人に1人がそれ以外の風邪に罹る。医者がみて、だいたいこれはインフルだろうなとカンで思うと、インフルと書く。今年はインフルは12月がいちばん多かった。ピークが来ると思ったら、正月には5分の1まで減った。コロナウイルスとインフルエンザウイルスとが話し合っているかのように、入れ替わっている。インフルもA型が流行るとB型が流行らないといったことがある。ウイルス同士が空気中で情報交換している。（著者注：これはより正確に言えば「ウイルス干渉」という現象で、空気中というよりも、細胞内にウイルスが入ると他のウイルスが入りにくくなるという「椅子取りゲーム」状態になるという意味です）
おかげで、毎年1万人のインフルの死亡者が今年は２０００人ぐらいになる。『武漢風邪』に流行っていただいて結構、そのおかげで８０００人の命が助かっている。（著者注：実際には、昨年はインフルの患者自体がほとんど発生しませんでした）
医療体制の問題については、患者数５０００人のうち重症者は１５０人というレベル。足りないはずがなく、お金の問題が大きい。感染症を引き受けることを病院はいやがる。1人引き受けると赤字になる。イタリアの死者について分析すると、ほとんどがコロナで死んでいない。それ以外が原因。しかし、医者がコロナと書く。そう書くとお金が高く出る。小池都知事が６００床と言っていたのが８００床、そして４０００床にもなった。自粛の練習はもう十分にやった。もう、今日でやめて、曲線は出ているから、それに従って、何日で感染者が何人出たら自粛に戻るということを決めればいい。欧州では急増していた20日間でも1日１５００人だった。日本でインフルが増える時は1日８３０００人であり、十分に耐えられる。そもそも日本と欧州は15倍も違うのであり、違うところの話をしても仕方ない。自分は民主主義の一員として政府の方針に従っているが、いまの東京にいてもコロナに感染するチャンスはなかなかないだろう」

もう1年も前のご発言なので、やや不正確な点はありますが、その後、いろいろな事実が積み重ねられ、新型コロナの解明も進んだ現時点で振り返ってみても、また、本書で井上先生が述べておられていることに照らしてみても、当時にしては、そう本質から外れていない見方です。ところが驚くと同時に残念に思ったのは、この対談番組を紹介した私のFacebookの記事に対してバッシングが数多く寄せられたことでした。中には「これから国民がみんなで戦おうとしているときに何だ、反社会的な記事だ、削除しろ！」という旧知の方からのものもありました。がっかりしたのは、この旧知の方が、財務省の私の同期の中でも私が優秀だと一目置き、信頼していた出世頭の元財務官僚の某君だったことです。私が「現場の臨床医も含めいろいろな専門家たちと議論を重ねた上で発信している内容だ」と返信しても「みっともない言い逃れはやめろ！」、「自殺者が出てくることも考えねばならない」と書いても「詭弁（きべん）だ！」と罵声のようなコメントが返ってくる始末。

この同期からのコメントには、私が奉職していた霞が関はここまで規範文化にまみれていたのか、これが知的で科学的な判断力も萎（な）えさせ、国を誤る原因だったのかもしれないと思わせるものがありました。その後、コロナ禍で自殺者が急増している事態を、この某君はどうみているのでしょうか。「事実」に基づく見解を、特定の価値判断に基づいた先入観から「べき論」で批判する、あるいはそれらを混同して判断することは、世の中にままあることですが、国家の危機的な事態においては国家の存亡にも関わります。

反論するなら同じく「事実」をもって行うべきであり、バッシングによる意見封じは無意味と言うより有害としか言えません。

決定を専門家？に任せて判断を放棄した政治家の姿勢も「コロナ迷走」の原因

まったく未知のウイルスに対する安倍政権の初期対応の迷走は仕方ないことでした。何しろウイルス発生地の中国から有益な情報がまったく来ない上に、本来正確な情報を出すべきＷＨＯも曖昧な態度のまま。中国当局があわてて武漢を封鎖した１月23日には、武漢1０００万市民の半分５００万人がすでに武漢を出ており、そのうち成田空港に直行したのが９０００人、武漢からの渡航を禁止した２月１日までに、中国から武漢経由で日本に入国した人数は34万人。ちなみにその前年の11月から3月までに中国から１８４万人が入国していますが、上久保先生や井上先生が言われるように、これによって弱毒のウイルスが流入して感染が蔓延した。結果として、集団免疫が出来上がるという不幸中の幸いとなったわけですが、この時期に中国からの渡航禁止を怠ったことには、その後も批判が続いています。

ＰＣＲ検査の不要なまでの拡大等々についても申し上げたいことはありますが、医療の詳細については井上先生にお任せしたいと思います。ただ、私たちがＷＨＯの見解にも反する不適正な運用を続けてきたＰＣＲ検査の正常化を訴え、国民に署名活動のご協力をお願いし、厚生労働省は過大だったＣｔ値を引き下げる内容を含んだ通達を出したことは申し上げておきたいと思います。遅きに失した感はありますし、検査の現場にこれが浸透したわけではないことは付言しておきますが……。

実は、これまでの数字をみると、陽性者の数は、緊急事態宣言や人々の外出の度合いなどとは無関係に増減しています。昨年4月の緊急事態宣言の前の3月末の時点で全国の陽性者数はピークアウトしていましたし、これは今年1月からの緊急事態宣言も同じで、東京都の感染や陽性者数のピークは昨年末から今年の正月にかけてでした。昨年末に向けて、感染が増えたのは、おそらく、旅館などで徹底的に消毒がなされているＧｏＴｏトラベルをやめて年末年始の巣ごもりを政府が国民に要請した結果、かえって家庭内感染が増えたことによるものだとの分析がありますが、当たっているでしょう。皮肉なことに、過剰な対策が、本来は感染の山を前倒しするという感染症対策の基本とは逆行する効果をもたらし、年明けに医療崩壊の懸念を高めたといえるかもしれません。

政権サイドとしては過ちを認めたくないでしょうから、これから陽性者数が減るたびごとに、緊急事態宣言をはじめとする自粛等の措置が効果を生んだと言い続けることと予想されますが、今現在も各国から出てくるデータ、論文を読めば、行動抑制が効果的であるというファクトが検証されているようには思いにくいものがあります。

第一次緊急事態宣言、自粛、半自粛、さらには菅政権による第二次緊急事態宣言にも言えることですが、ここであまり見えてこなかったのが政治家の政治家としての姿です。確かに今回の事態は、医療の専門家に聞かねばならない局面が多いのは事実です。しかし、いわゆる分科会への過剰な依存や医師会の意見に右往左往した事実は否めません。新型コロナの治療に携わっている医師が必ずしも多くないはずの開業医の集まりである医師会からの、あたかも平時モードを維持したいがためなのか？　にもみえる圧力のために、かえって「医療崩壊」が起きているという意見も、あながち否定できないのではないかと思います。

分科会の会長がいつも会見に同席して、エビデンスがあやふやな夜の居酒屋での飲食を禁ずる。そのために飲食店が受けた被害が莫大なものであっても、時短対策を続ける。GoToキャンペーンの中止もエビデンスを示していない。福岡市長が関係性がないというエビデンスを示しても反論すらしないで中止してしまう。非常に裾野が広い観光産業に大打撃を与えるほどの政治的な決定を、医療の専門家に任せていいのか？　政治家としての役割を放棄してはいないか。批判を避けたいのか、メディアによる煽りで深刻化した国民の「コロナ脳」のもとで支持率を低下させることはしたくないのか、陽性者の数字が増えたときの責任をとりたくないのか、その姿勢こそがコロナ対策の迷走に拍車をかけたと思わざるをえない面がなきにしもあらずです。

安倍政治の本領は外交で発揮され、日本の歴史を塗り替えた

安倍政治の特徴的なスタイルは、オール与党・オール霞が関を巻き込むよりも、信頼できる取り巻きを重用する政治手法でした。そのもとで、外交では素晴らしい成果を上げ続けたわけですが、内政となるとそうはいかない。「安倍一強、官邸一極」体制が「三本の矢」と呼んだ金融、財政、成長戦略の中の、特に成長戦略が奏功しなかった原因であると指摘されています。憲法改正についても道半ばに終わったわけですが（これは野党が「もりかけ桜」で国会での憲法審議を邪魔したことが大きな原因ですが）、一部の官邸官僚に権限が集中し過ぎたために、与党のみならず霞が関も萎縮した感があったやに思われます。アベノマスクなど、政権末期に新型コロナ対策で支持率を落とす原因にもなりました。

内閣人事局の設置で幹部公務員の人事権を手中に、官邸でのレクチャーで最初に問題点を挙げる官僚は人事で飛ばされる、当時の菅官房長官が仕切る官邸による一種の恐怖政治などと霞が関では言われたものです。しかし、本来、専門的な立場から問題点を政権に伝えるのは職業官僚の存在意義の一つ。官僚機構の萎縮は大きな問題でした。元文部科学事

務次官は座右の銘として「面従腹背」と述べましたが、むしろ、某財務省大物ＯＢが言うように、異論は出しても、いざトップが決断すればそれに従う「面背服従」こそが多くの官僚の心構え。この点、省庁の大臣として官僚機構を直接使いこなす経験のないままに総理になられた安倍氏にも、最初から官僚に対する警戒感が強すぎた面があったのかもしれません。

ただ、先にも述べたように、「自由で開かれたインド太平洋」で世界の地政学地図を変えてしまうなど、安倍前総理は外交では歴史的ともいえるめざましい成果を残しました。安倍外交は日本の歴史を変えた。安倍氏の本領は外交で発揮されたと言っても過言ではありません。

首脳同士の人間関係が大事なこの世界では、古参であること自体が強み。メルケルに次ぐ先輩格となったＧ７では、トランプに手を焼く各国首脳たちが安倍総理を頼り、最後はトランプも「シンゾウの意見を聞こう」。日本が世界の外交を主導するとは、国家始まって以来の快挙でした。経済外交でも、ＴＰＰ11、日・ＥＵのＥＰＡ、日米貿易協定、そしてＲＣＥＰへと、日本が世界のメガ経済圏のいずれにも属する世界唯一の国として、今後の国際秩序形成の要の位置に置かれることになったのも、安倍政権下での成果だと言えます。

安全保障面でも、日米同盟を現実に機能させるための法制的な前提である集団的自衛権の限定的行使容認を可能にした平和安全法制は画期的な成果でした。国家機構の面でも、特定秘密保護法で同盟国との情報交換の前提を整え、日本版ＮＳＣ、さらにはＮＳＳに経済班まで立ち上げるなど、国家として最低限必要な器を整えるに至りました。

もちろん、これらも憲法改正なくしては不十分なままですが、では、国際社会の中で当たり前の主権国家として機能するための基盤の上に立って、日本は自国の国民に対して、そして国際社会に対して何を生み出す国になるのか。これは自国の内生的な営みを通じた価値創造の領域に属する課題。この面では、コロナの影響もあったかもしれませんが、未だ十分な成果なきまま政権は終焉（しゅうえん）しました。ただ外交の成功が自民党支持者のみならず、国民の政権支持を集めたことは事実です。野党の不甲斐なさも手伝って、「もりかけ桜」の中にあっても自民党支持率はさほど下がりませんでした。

大きなビジョンが見えない小粒政策が並んだ菅政権

安倍政権を引き継いだ菅政権は、コロナ禍の中で解散も打てず、感染者拡大で支持率低下。満を持したＧｏＴｏキャンペーンもマスメディア等の批判を浴びて休止。医療崩壊を防ぐ対策も打てぬうちに、小池都知事をはじめとする首都圏４都県の知事や医師会の要請で再び緊急事態宣言を発令。さらには親族のスキャンダルと、就任直後の圧倒的な支持率も大きく低下するに至りました。

そもそもスタートの所信表明演説からして、大きな国家ビジョンが出る、スガノミクスもあるかという期待は見事に裏切られました。個別の施策を並べただけ、具体策はあるが小粒すぎる、ずいぶんと素っ気ない、短冊つなげ、体温が低い、何も感じられない……そんなコメントが続々と出たものです。

「日本を取り戻す！」、「三本の矢」、「新しい国づくり」、「一億総活躍」、「憲法改正」……と、勇ましくもレトリック巧みな言葉が次々と飛び出した安倍前総理とは、非常に対照的でした。携帯電話料金値下げ等、菅総理が実際にやってきたことを見ると、この政権は「不言実行内閣」と言っていいかもしれません。ベトナム、インドネシアへの初外遊は対中包囲網（とは明言できなくても）を世界に示した見事なものでしたし、日本学術会議問題には深い意味がありました。この件について、学問の自由に政治が干渉してよいかという批判が多く見られましたが、今の戦争が目に見えないSilent Invasionの形を取り、中国が先進各国から先端技術を盗取する動きを強めている現在（当然わが国からも）、総理官邸が日本学術会議に神経を尖らせるのは当然のことだったと思います。

菅内閣が当初から携帯電話料金の引き下げとか不妊治療への支援など、次々と個別のわかりやすい改革を打ち出していたことに鑑みて、私はコロナ禍で鬱屈し、停滞した日本社会に新風を吹き込む「世直し内閣」というネーミングを菅総理の側近の国会議員に提言しました。「これはいい」と言われていたのですが、残念ながら採用されませんでした。気分一新でよかったのに、結局、「国民のために働く内閣」に。悪くはないのですが、内閣が国民のために働くのは当然のことなので、どのように国民のために働くのかを示してこその意味あるネーミングではなかったかと思います。何事も最初が肝心ですから。

これまでの総理に比べても菅総理に欠けているものは何かと言えば、大局的なビジョンが見えない点でしょう。安倍前総理にはビジョンはあったが果たせなかった。菅総理の場合、ご自身の性格的なものもあるのかもしれませんが、総理の座をどうしても取るということを長年にわたって目指してきたわけでは必ずしもないということがあるのかもしれません。「自助、共助、公助」や「絆」を掲げてはおられますが、それも何らかの理想を実現するための道筋に過ぎないと言えなくもありません。ただ、小泉内閣以来続く「新自由主義」、「構造改革」には一片の疑いも持っていないようです。しかし、時代が進んで、それらが答えにならなくなっているところにこそ、日本の政治の本質的な課題があるのではないでしょうか。確かに、菅政権が掲げるようになったデジタルとグリーンは、日本の課題を集約する二本の柱かもしれませんが、大事なことは、それらによって日本はどんな社会を作り、世界の中でどのような存在になるのか。その哲学や道筋は見えていません。

安倍総理のもとで霞が関の官僚に睨み(にら)をきかせてきたのが官房長官の菅さん。したたかで怖い、下手に反論すると後が怖いんだという話を聞いたことがありますが、ぜひしたたかにコロナ禍を乗り切っていただきたいもの。しかし、残念ながら、あまりにも強力な「コロナ脳」の世論には、そのしたたかさも通用しなかったのか。自ら掲げていたはずのＧｏＴｏトラベルを昨年末に向けて中止してから、失政が失政を呼び、支持率の低迷を招いてしまったようです。

コロナ陰謀論にも耳を傾ける余地がある？

コロナ禍は世界秩序まで大きく変えようとしています。それは中国のさらなる覇権支配への動きと、米国の相対的な指導力や信頼度の低下という形で現れました。米国については、なんと言っても大統領選でした。大方が間違いなく勝利するとみていたトランプ氏が負け、民主党バイデン大統領が誕生しましたが、その過程で浮かび上がったのが、米国が必ずしも公明正大な民主主義の国ではないのではないかという疑念です。日本でも多くの米国ウォッチャーたちが選挙不正を指摘していましたが、そもそも米国という国自体が、特定勢力の影響を大きく受けながら政治や経済が動いてきた国なのではないか。メディアやＳＮＳによる言論弾圧？　はそれを実感させるものですし、そもそも今回の大統領選は、中国による Silent Invasion が米国にまでここまで浸透していたのかと感じさせるものでした。

こうした見方はややもすれば「陰謀論」と片づけられることがありますし、私も長年、「陰謀論」の立場は取らずにきたのですが、今回のコロナパンデミックなど、議論を深めれば深めるほど、どこかで何かの力が働いていると考えたほうが説明しやすいと感じることもないわけではありません。陰謀論にも意外と耳を傾ける余地がある、少なくとも、世界の動きをとらえるうえで知識として知っておいたほうがいい……。以下、大統領選をめぐってなされた代表的な議論をいくつかご紹介します。

まず、今回の選挙戦は米国史に残るような疑惑の選挙だという議論。コロナ禍で郵便投票を利用した民主党バイデン候補が勝利しましたが、どう見ても、かなりの程度の不正があったこと自体は事実でしょう。

特に、この「不正」の話をすると「陰謀論」と嘲笑される風潮が日本でも強まっていますが、本当に大型不正はなかったのか。

２０１７年の７月に東京大学大学院情報学環の客員教授としてサイバーセキュリティの研究のために訪れたラスベガスでのデフコンでの光景を、私は今でも忘れられません。これは世界中から集まるハッカーたちがサイバー攻撃の腕を競い合う万人規模のイベントで、そこで２０１６年の大統領選挙で実際にある州で使われた電子投票システムを改ざんするコンテストが行われていました。結果は……？

あっという間に改ざん。今回、大型不正の話を聞いたときに私の脳裏に浮かんだのは、このリアルな場面でした。こんな仕組みはもう使わないだろうと思っていたのですが、多くの州でまた使われていたとは……。

大統領選挙は不正だらけ？
アメリカの自由と民主主義はどうなってしまったのか

ノンフィクション作家の河添恵子氏は、米国の現地から情報をとりながら、不正のエビデンスをかなり集めたようです。その河添氏によると、「郵便投票では大量の幽霊票、配達せずに廃棄、日付を変えて有効票にする。投票用紙を回収に来る方法を使っている州が多いなかで、投票用紙をもらいに来た人がなりすましの人。まるで、オレオレ詐欺？　投開票では、共和党の人を開票の部屋から追い出す、民主党の人が何回も書く、投票所では、集計マシンが票を読み取れないシャーピーというペンを使わせるよう誘導、これは投票所に来るのは共和党の人が圧倒的に多いから」。

米国では州や州の中でもカウンティ（郡）によって選挙のやり方が異なりますが、河添氏によると、「ミシガン州では、何万票で推移していた票数が、11月4日の朝、突如、12万票、うち96％がバイデン票。これはドミニオン・ボーティングシステム。投票率100

%の選挙区が数か所。投票率56%程度が夜中の2時以降変わっていき、101%、350%の区も票の加算の跡がある。ペンシルベニアでは、トランプの票が2万票ぐらい、ある時刻に減り、バイデン票がその分増えた」とのこと。河添氏自身がちょうどリアルタイムで画面を見ていて、「確かに、突然減った。一度入った票が減るなど、ありえない。投票所の機械がしょっちゅう止まっていた。……民主党では予備選のときにも不正をしていた。サンダーズに対しても。米国人の話では、そのときは、みんなが『やったな』だった。ジョージア州知事はドミニオン・システムを積極的に入れた中国ズブズブの人。国際金融資本のカネが入ってこその大統領選挙のなかで、トランプは自己資金。国際金融資本と中国共産党の工作と戦っていた……トランプはプロパガンダでやっつける。メディアと組み、不正を非可視化し、トランプがあたかも負け犬の遠吠えをしているかのような印象操作をしている」等々……。

こうした不正の指摘に対しては、一部、事実無根や誤解であることが証明されたものもあるとされます。ただ、そうした反証自体も正しいのかどうか、米国のメディアの実態をみると、何をどこまで信じていいのかわからないと言っていいでしょう。

今回の大統領選で浮かび上がったのは、まさに、マスメディアもSNSも言論の自由を妨げているという実態でした。CNNをはじめとするテレビ、ワシントンポスト等の新聞・雑誌の偏向報道に加え、Twitter等のSNSが検閲を行ってトランプやその応援者の投稿を削除する。現在ではトランプ支持者は「Qアノン」とのレッテルが貼られるとか。不正選挙を指摘する日本の論者たちは「Jアノン」……？

司法もどうもおかしい。裁判所は各地から上がる不正選挙の訴えを聞きませんでした。初めから不正などないと言うのは裁判所としては逃げたも同然です。もはや米国には民主主義も意見表明の自由も公正さの担保もないのか……。自由と民主主義こそ、米国の建国以来のアイデンティティそのものだったはずです。

これは国際情報アナリストの山岡鉄秀氏の指摘ですが、あのTIME誌が図らずも？不正選挙を堂々と記事にしたようです。それは、Facebookのザッカーバーグ氏が関連会社を通じて各州のカウンティごとに設置された選挙管理委員会などに、契約内容を実行しなければ返金してもらうという条件付きで多額の寄付をし、不正投票の温床とされる不在者投票や郵便投票を劇的に増加させるなどの策略を、特に大統領選の激戦州で実行していたという内容。

そのなかには、米国の憲法で各州議会が決めるとされている選挙のルールを裁判所に勝手に変更させるなど、憲法違反という意味では違法な策略もあったとのこと。そうしてでも選挙に勝てば不正ではない、記事の表題は「2020年の選挙を救ったShadow Campaignの秘密史」。バイデンを勝たせて民主主義を守ったという立場のようです。

かねてから米国の司法は決して公正でないと聞いていましたが、ここまでカネで動くことが当たり前の社会なのか、言論封殺が効いているのか……。「分断」と言われますが、米国の国名はUSAからDSAに変わったというジョークもあります。The Divided States of America……。大統領選ではバイデンが8000万票を超える大量得票しましたが、トランプも現職大統領としては史上最高の7400万票。The Unitedへの復帰は容易ではなさそうです。

大統領選には裏の物語がある？ファウチは「パンデミックが起こる」と予言していた？

今も多くの米国民が支持するトランプ氏。実は、トランプ陣営の戦いには、根深い歴史的背景や米国という国のあり方にとっての重大な意味があるようです。彼らが本当に戦っている相手とは何なのか。歴史を紐解くと、今起こっている現象には必然性があると言われます。目の前に見える川の流れには源流があり、流れの先は大海へと向かっていく……。こう述べる近現代史研究家の林千勝氏は次のような指摘をしています。

「米国の大統領選の本質は、民主党対共和党ではない。エルドリッヂ（米国の政治学者）が指摘するように、エスタブリッシュメント対反エスタブリッシュメントである。

もともと英国から独立した国である米国では、英国の資本家からいかに独立するかが一貫したテーマ。かつては各銀行が通貨を発行していたが、民間所有の第一合衆国銀行という中央銀行を創った。しかし、こういうものを創ると経済が牛耳られるということで廃止された。その後、米英戦争が起こって財政難となり、第二合衆国銀行が誕生した。

その筆頭株主はロスチャイルド。時のジャクソン大統領も米国民も、これはまずいと判断。大統領選でジャクソンは第二合衆国銀行を潰すと言った。これで民間所有の中央銀行は潰されたが、金融資本はウォール街に跋扈（ばっこ）して地方銀行に浸透した。第一ラウンドは草の根民主主義が勝ったが、米国に中央銀行を創るのは金融資本の積年の望みだった。

ロスチャイルドは世界の金鉱山を開発した。かつては銀本位だったが、英国、ドイツ、フランスで金本位制への切り替えが進められた。そして金本位を米国にも導入しようとした。銀本位制のときに彼らは外国から金を持ち込んだ。大統領選はカネがかかる。共和党も民主党も大資本側に迎合した。これに対抗して、米国民は『人民党』を創った。ポピュリズムとは、大衆迎合のことではなく、本来はこの意味。

ここで、グローバリズムと反グローバリズムの戦いになっていくが、金融資本家は金を持っているから強く、お金を持っている民主党に騙されて、人民党は民主党に吸収され、そこでマッキンリー大統領が誕生した。これを支えたのがロックフェラー。さっそく、金本位制を米国に導入した。その後、金本位制対銀本位制の戦いは歴史では語られなくなった。

マッキンリー以降は、共和党と民主党が互い違いに大統領に。反グローバリズムや反エスタブリッシュメントが表立った形の選挙にはなってこなかった。国際金融資本の引きが強いほうが権力者に選ばれる歴史になった。反骨精神のある人はだいたい、両党とも予備選で落とされてきた。スキャンダルも起こされる。しかし、当選すると志を実現しようとする大統領も出てくる。反グローバリズム的な大統領も、時には現れる。

ウィルソン大統領も国際金融資本が操りやすい大統領だった。当時、無理やり第一次大戦に米国を参戦させ、国際連盟を作らせ、ＦＲＢ（連邦準備制度）も作らせた。フーバー大統領も大資本のおかげで当選した大統領だったが、我が出てきた。トランプ大統領とそっくりの大統領だった。自分自身がダイヤモンドや金の鉱山を世界的に開発した大資本家。トランプも自らが富豪。フーバーもトランプも、経済第一、戦争回避、不干渉派ということで共通。フーバーは最初の大統領選で圧勝し、次も大丈夫と言われながら、大恐慌でまさかの大敗北となった。トランプもコロナで、まさかの敗北。

フーバーのあと、ルーズベルト大統領が第二次大戦への道へと歩み、その後も操り人形的な大統領が当選していったが、その中でも、我を出した人としてはケネディやニクソンが挙げられる。その2人も『正義』に我が出てきた。結局、2人とも任期を全うできず。

こうした対立軸が底流にあり、やりたくない戦争をさせられたりした歴史が、米国人には身に沁みている。トランプが大統領選に出る頃には、国際金融資本に動かされているのは嫌だという米国第一主義的な国民が増えていた。それは21世紀に入ってから表に出てきた傾向。背景として、9・11の同時多発テロの心理的影響も指摘されている。大事なことをメディアが何も伝えない。米国民は数多くの『おかしい』を体験してきた。

トランプ陣営は国際金融資本等の『ディープ・ステートと戦う』と明確に言っている。そこには、大手マスコミを信じられないとする草の根的な民主主義の底流があり、これがジャクソン以来、百数十年ぶりに出てきた。トランプが勝手に言っていることではない。いまや過半となった有権者の声に乗ったのがトランプだった。

コロナについて言うと、米国でも日本でも100％きちんと報道されていないことがある。トランプは記者会見で、『2014年に現在の責任者のファウチのもと、米国で新型コロナを研究しその後禁止されたが、これをファウチは武漢研究所に委託した』と述べていた。これは重大な会見だった。横にファウチが立っていて否定していない。2017年の1月にコロナ関係者が集まる大会でファウチが演説し、10日後に就任するトランプ政権では、新型コロナのパンデミックのサプライズが起こると断定していた。

トランプ陣営がマスクをしていないのは、ファウチが大統領選にぶつけてウイルスをバラまいたコロナに付き合えるかという意味。米国でも大手は報道しない。

コロナが大統領選を決める要因になったのも、トランプ側の理屈をメディアはいっさい報道してないのも事実。トランプの主張が正しいかどうかはさておき、少なくとも、彼らがどういう原理で動いているかは報道すべきものではないか」

長くなりましたが、日本人の多くにとっては驚くような米国史。林氏は自分の言うことはすべて一次資料から得られたものだと述べていますし、それを否定する材料を私が持っているわけでもありません。これが正しいとすれば、大手マスコミが取り上げないため、れっきとした事実でもその後の歴史では語られず、ほとんどの人々が知らないことがいかに多いか……。

確かに、大統領選では明らかに報道規制が入っていて、大手メディアがトランプ側の訴えをきちんと報道せず、記者会見も大事なものは報道していなかったようです。途中で会見をフェイクだとして報道陣側が一方的に打ち切るという前代未聞の光景もみられました。まがりなりにも一国の大統領の記者会見です。普通では考えられないことでしょう。

民主党がリベラルの意味を変え、富裕層のグローバリズムと結びついた

世界史の専門家である茂木誠氏は、次のように述べています。

「いまは恐ろしい状況。近未来がみえる。それは新しいファシズム。米国のすべてのメディアとＳＮＳがバイデン側なので、政権と結託する。中国と同じになる。今回のバイデン勝利は合理的な説明がつかない。メディアやＳＮＳでは合理的だが……。

米国の民主党はリベラルと呼ばれるが、リベラルとは、本来は個人の自由を尊重する立場。これに対し、国家や共同体のまとまりを重視するのが保守。しかし、20世紀に米国でリベラルの意味が180度変わった。きっかけは経済危機。それまで自由放任経済だった米国は大恐慌に直面し、当時のフーバー大統領がハンドリングに失敗。恐慌が悪化し、国家が経済に介入して生産や物価をコントロールするソ連型社会主義経済の考え方が導入された。

フランクリン・ルーズベルトが選挙で地滑り的な大勝利を収め、なんでもやってくれという国民の声に応え、ニューディール政策に人々は熱狂した。ルーズベルトは異例の4選。そこで彼が言ったのが『自分はリベラル』。このリベラルという言葉が美しいゆえ、選挙目当てで言葉の意味を変えてしまった。社会主義とは言えないからだった。そこで民主党のリベラルは国家主義的なリベラルになり、保守は個人を重視する自由主義へと逆のほうに行く。開拓民的な個人重視の自由主義がひっくり返された。

共和党は草の根保守とリバタリアンも取り込んで国家主義に対抗する。共和党も強い国家の立場だが、それは対外的な面であり、国民には干渉しない。民主党は逆で、外には弱腰で、国内に対して締め付ける。その民主党がいま提案している政策が極左や社会主義の政策。弱者、労働者、貧困層、女性、移民、アフリカ系の人々が増えれば増えるほど、民主党は長期政権になる。景気が良くなると困る。個人で勝手にやるようになるから。移民を入れると民主党の政権基盤が固まる。治安が悪化したほうがいい。ならば、国境線をなくしたほうがよい。そこでグローバリズムになる。

貧困層の逆のウルトラ富裕層も、銀行やウォール街も国境を超えているので、グローバリズムとなる。ウィルソン大統領のときにＦＲＢを創り、民主党と金融資本がつながった。民主党は富裕層と貧困層の両方を抱える。オバマもバイデンもそうである。民主党の政治家たちは、自分にカネがないからウォール街に依存する。これに対してトランプはポケットマネー。ウォール街の世話になっていないと自身が言っている。

古き良きアメリカが今の風潮に待ったをかけたのが、トランプ大統領の誕生だった。トランプは、民主党はうそつきだと言う。貧困層のためと言いながら、カネをもらって貧困層を豊かにしていない。頑張れば上に行ける社会を創るという立場がトランプ。米国の原点回帰の立場だ。バイデンになると金融資本と弱者のための国になる。

バイデン大統領でアメリカは『1984』の中国になる

その意味で、米国民主党と中国は似ている。

表向き労働者の政党と言いながら、やっていることは真逆。中国では、もともとはグローバリスト蒋介石の腐敗を打倒して、耕す者のために革命をしたのが毛沢東。しかし、分配ばかりで成長しなかった。大躍進でも餓死者が多数、そして文化大革命。国家も党も疲弊したとき、米国と手を組もうとした。ソ連への対抗のためにも。そしてニクソン訪中。その路線を鄧小平が受け継いだ。

平等よりも経済成長、改革開放へと。そこで、米国の民主党系グローバリストが対中投資。彼らは中国と相性がよく、ズブズブに。バイデンもズブズブ。しかし、経済発展の陰で貧富の差ができて、腐敗撲滅運動に。今まで通り米国資本ズブズブは上海閥。対抗軸として共産党の基本に戻って、分配と党内改革に軸足を置いたのが薄熙来と習近平。グローバリズムからナショナリズムに回帰した。そこはトランプも共通していたが。

習近平は、上海ズブズブのバイデンを腹の底からバカにしている。習近平は、今の米国の混乱をみて、選挙制度を採り入れるかもしれない。そもそも選挙をしない独裁は難しい。正当性の維持が大変であり、力しかないからだ。選挙をしても、言論の自由がないので、選べない独裁をするだろう。スターリンも選挙をしていた。投票用紙に名前が１人しかいない選挙。不満があればバッテンをつけさせ、つけた者は秘密警察が追う。投票は命がけだった。投票率は高く、ソ連共産党が圧勝していた。今回の米大統領選挙も投票率が高かった。中国も今回の米国不正選挙をやれば習近平が当選する。

バイデンが大統領になると、米国が中国と同じになる。今でもＳＮＳは規制されている。ＧＡＦＡはビッグデータが欲しいが、西側は個人情報の保護で壁がある。中国は共産党がすべてのデータを握っている。それが手に入るとどれだけ儲かるかをＧＡＦＡは計算している。中国と結びついて米国も支配し、世界政府のような姿に……。

それは『１９８４』のオーウェル的な世界。それはスターリンの世界？　今回の大統領選は一世紀に１回あるかないかの大イベント。民主か共和かではない。世界が変わってしまう。私たちはそれぐらいの局面にいる。

トランプサイドが言い続けた『盗まれた選挙』が事実とすれば、バイデン大統領は民主主義の正当な手続きによって選ばれた大統領ではない。世界で民主主義を先導してきた超大国の米国でこんなことが起きた。世界の民主主義は危機に直面している。」

井上先生とのYouTube の番組が……中国とべったり？　とも噂されるGAFAとSNS

このようにみてくると、近年着々と進行する「世界の中国化」は、政治面でも米国にも及ぼうとしているのかもしれません。これは決して、われわれ日本人にとって対岸の火事ではないでしょう。現在の最高権力者とも言える大手メディアが支配する日本でなんとか多様な言論の場として発展してきたSNS空間も、すでに規制が相当入っています。新型コロナに関する私と井上先生との YouTube の動画を松田政策研究所チャンネルに載せたところ、突然削除されるという事件も起きています。

これまでも、反中国、反左翼的な言葉が多いと番組を消される、時には、突然発信局そのものが閉鎖される事態も日本で YouTube を活用する真面目な言論人の間で頻繁に起こってきました。昨年、「新型コロナ」が流行り出した頃も、この言葉はテレビでは使われているのにSNSでは禁句でした。日本国民の思考を中国にとって都合のいい方向へと誘導する Silent Invasion そのものだと言われてもしかたがない事態が起こっているのは事実です。

人口14億人の中国の巨大市場やビッグデータに目がくらんだプラットフォーマーたちが中国共産党と手を組んで……？　そう思っている人は日本でも多数にのぼりますが、願わくば、ＳＮＳプラットフォーマーのみなさまには決してそのように思わせないような運営をしてほしいものです。

私は必ずしもディープ・ステート陰謀論に与（くみ）する者ではありませんが、こうした理不尽な圧力の存在をリアルに実感してきた一人として、今回のトランプ前大統領をめぐる情勢が日本国民としても決して看過できない事態であることを指摘せざるをえません。バイデンは大統領になりましたが、ご高齢でもありますし、そう遠くない時期に極左とされるハリス副大統領がバイデンに取って代わる……？　そんな噂（うわさ）もよく耳にします。国際協調で中国を締め上げる政策をバイデン政権は展開していますが、これが、日本の安倍前総理とともに築き上げてきた日米豪印によるクアッドや、中国とのサプライチェーン分断に向けて進められてきた米中デカップリング政策など、いずれもトランプ政権が着々と築き上げてきたことの成果であることには留意する必要があるでしょう。アメリカの現状は、内政面ではガタガタと言われます。後世の史家が、トランプは民主主義にとっての正義だった、民主主義を危機に直面させたのはバイデン大統領の誕生だったと記すようなことにならないことを願うものです。いま、民主主義と自由の価値をどう守るかという根源的なテーマが私たちにも突き付けられているのではないかと思います。

世界の中国化をタイミングよく促進するコロナパンデミック

そもそも2020年の1年間で世界を一変させたのは中国発のコロナでした。

中国と日本は「一衣帯水」の隣国同士とは、「日中友好」の場で常に言われてきた言葉です。良くも悪くも隣り合った国同士は離れることができないという意味が込められていますが、21世紀は台頭する中国にどう向き合うかが国際社会全体のテーマになる。今世紀に入る頃、これが論壇の共通認識でした。14億人の人口が、まさに自らのサバイバルのために闇雲に経済成長を続けていくと、エネルギーも食料も中国が食い尽くし、環境を汚染し、やがて地球は中国も人類社会も支えられなくなる。そんな懸念でした。

1989年の東西冷戦終結やベルリンの壁の崩壊と同じ年から始まった平成時代の30年間、世界の潮流は、①グローバリゼーション、②IT革命、③金融主導の三つの流れで特徴付けられるものでした。その当初の90年代に世界の盟主として君臨したのは米国でしたが、21世紀に入る頃から様子が変わり始めました。グローバル、オープンのパラダイムを活用した中国の勃興著しく、リーマンショックのあとは、金融主導は中国主導に置き換わりました。そして、グローバリゼーションとは要するに、「世界の中国化」になりました。

これに待ったをかけたのが米トランプ政権。表向きは貿易戦争や技術覇権競争の形をとっていますが、情報技術が全体主義独裁体制と結びつくことによってもたらされる経済と安全保障の両面からの脅威の根っ子を絶つために、米国の対中政策の照準は、中国の政体レジームを崩壊させることに合わせられました。

そこに出てきたのが今回の新型コロナウイルスによるパンデミック。あまりにタイミングがよすぎると勘繰りたくなりますが、歴史的にみて、公衆衛生の状態が必ずしもよくない中国は、ペストをはじめさまざまな疫病の発生地域であり続けてきました。中国内においても、ほとんどの王朝交代は疫病が原因だと言われ、今回も感染症の発生で世界に迷惑をかけ、さらにはサイバー空間にも別のウイルスを撒き散らしている。

天文学的な負債を抱え、地方財政は困窮を極め、学生の就職もままならない。にもかかわらず、新型コロナで傷んだ世界を尻目に、まだまだ世界から投資を集め、中国経済はいち早く回復基調に乗ったとも発表しています。経済成長率から始まって、発表数字があてにならない中国ではありますが、日本企業をはじめとして中国抜きの経済活動は考えられなくなっていることも事実です。現時点でも中国への投資を増やしている日本の大手企業があります。

独裁国家中国に弱みを握られた日本の経済界のジレンマ

経団連の中西宏明会長は「中国を敵に回したりしては日本は存在しえない。米国の場合はそれはできるかもしれないが、日本はそうはいかない」、「貿易赤字の問題、技術移転の問題だけに焦点を当てるのはおかしいと思う」と述べています。これが日本の経済界の偽らざる本音でしょう。ちなみに、この中西会長、トランプ氏がコロナに感染したときには、「典型的な自業自得だ」と述べましたが、現在の日本の財界の不見識ぶりを見事に露呈したものと思います。また、コロナ禍で中国に行けずに困っていると中国との往来再開を強く要望し、経団連幹部も「中国との関係が断たれれば、日本経済は窒息してしまう」とまで言っていました。

中国の巨大なマーケットは確かに魅力的です。しかし、日本企業は勘違いしているかもしれません。中国市場は、欧米市場と同じではない。独裁国家の怖いところは、政府の出方次第。命令が出たらたちまちサプライチェーンは止まってしまう。中国からの分散化、希薄化は、喫緊の課題です。

確かにトヨタもパナソニックも１万３０００を超える進出企業すべてが、会社として利潤を追求しなければなりません。中国をサプライチェーンから外すことなどできっこない。政治的正論では、物事は動かない。それが経営者や現場の意見でしょう。そこが問題を難しくしている。深みに入り込み過ぎたのかもしれません。

逆に「日本経済はモノを売っている。それで日本経済は強くなっている。われわれが中国の富を奪う立場になっている」のだと言う経営者もいます。しかし、それは反対でしょう。結果として共同開発などを強いられており、中国にこそ、巨大マーケットを持つ側の強みがある。弱みを握られているのは日本です。

中国企業との共同開発や産学協同の技術開発を見直さなければ、米国ＥＣＲＡ法違反による制裁対象にもなりえます。これは通常の中国と取引をしていても起こりえます。たとえば、日本が供給している素子が入った監視カメラがウイグルに使われているとすれば、人権弾圧を助けたとして制裁される可能性もあります。今のままずるずると八方美人をやっていていいのか。令和の「東芝機械事件」が起きないか。表面上、中国共産党や人民解放軍とは近くない企業が、米国が調べたらまさにドンピシャリという事例は多いようです。バイデン政権下においても、国防権限法は超党派ですでに法制化されているものなのです。

日本政府はサプライチェーン組み換えへの助成措置等に加え、早く企業が国内に戻りやすくすべきです。すぐには全面撤退できないので、中国事業の希薄化を徐々に進め、国内に加えて、東南アジアなどにも一層分散化していく。バイデン政権のもとでも、米国は中国に依存しないサプライチェーンへと再構築を強力に進める方針のようです。日本もサプライチェーンの組み直しの実行で旗幟鮮明（きしせんめい）とせざるをえないはずです。政府は日本が進むべき方向を企業に示し、リーダーシップをとってチャイナリスクへの認識をより強く産業界と共有し、希薄化に向けて旗を振らねばなりません。

「日本学術会議」問題と中国に盗取される日本の技術や情報

中国が2008年に開始した、技術者をヘッドハンティングする国家プロジェクトの「千人計画」が、日本の国会でもようやく取り上げられるようになりました。ビジネスの世界だけでなく、学術・研究の分野でも、海外の優秀な研究者、技術者を中国は誘致している。日本人も中国の役に立つビジネスマン、学者、研究者がヘッドハンティングされています。日本人であるならば、日本でビジネスも研究もしたいのが当然。しかし、どれだけ意欲と能力を持っていても、定年を迎えたらもう働けない。研究予算削減でポストがない。だから中国へ行くしかないという人は多いようです。支給される給料も破格。浙江省の「千人計画」に選出された際に1500万円が支給され、5年分の研究室の運営費として5000万円を支給された研究者もいます。ある東京大学名誉教授は、「日本では科研費をどうやって取るのかでみなが汲々としているが、ここでは面倒なことをやらずに学問に没頭できて本当に幸せです」と述べておられるとのこと。長期にわたる大学への運営交付金削減が日本の国力を減じ、中国に資することになるとは……。

先述した日本学術会議問題の焦点はここにもあると思います。中国との学術協力を積極的に進めてきた日本学術会議は、こうした視点から厳しくチェックされるべきでしょう。学問の自由への弾圧などと筋違いの観点からメディアと野党が政権を叩いて煽ってきたこの問題は、国益上の視点から放置できないものがあります。

いわゆる「機微技術」の世界で、いまどき、軍用と民生は分けられません。日本にも「セキュリティ・クリアランス」が必要。電子データの世界では、情報や機微技術は安心できる人だけ担当してもらう。その際、日本は性善説が前提になっているところに一つの問題があります。たとえば、情報漏洩事件の大半が内部者が関係するものとなっていいます。米国などでは人間性悪説で厳格な監視をしていますが、日本の企業慣行にはなじまない。本来、情報や技術にもいろいろなレベルがありますので、それに応じて性善説、性悪性を細かく使い分けるしかないでしょう。

すでに電気自動車（ＥＶ）では中国が世界の生産、輸出拠点となりつつあり、そこにはＥＶに必要な産業集積が形成、自動車産業の勢力図はかつての日米欧から中国を軸とするものへと移行していく勢いです。中国への進出で得られる商機を日米欧の産業界が競うという構図は、世界各国が中華秩序に従うことを意味する。日米欧が中国の朝貢国になりかねない。これは避けねばなりません。

こうした現実を前に、日米欧の民間企業が中国を切れないなら、中国に代わる経済活動プラットフォームとしてのインド太平洋構想へと、よほどの覚悟をもって取り組まねばならないことになります。ここで大事なのは、われわれとは異質な方法や価値を提示している中国に対して、自由と民主主義に基づく資本主義の方法や価値をインド太平洋で提示し続けることでしょう。中国とは異なる魅力での繁栄のプラットフォームをいかに築いていくか。

日本はすでに「ＴＰＰ11」の盟主です。加えて、日・ＥＵのＥＰＡ、米国とは日米貿易協定と、経済連携の領域を大きく拡大してきたのも安倍政権の功績でした。ここに加わるのがＲＣＥＰ。日中韓＋東南アジア＋豪州ＮＺの15か国での妥結は、インドが抜けたことで中国の影響力拡大が懸念されますが、以上の世界のメガ経済圏のいずれにも属する国は世界で日本だけです。これは、中国も含めた世界秩序の形成者となりうるポジションを日本は得ていることを意味すると解釈すべきでしょう。

日本は自由化の水準の低いＲＣＥＰにおいても、体制が壁となっている中国に対しても、世界で最も完成度の高いルールや自由化度を備えた「ＴＰＰ11」の盟主としての指導力を発揮できる位置にいます。

最大の戦略分野となった電子データを縦横に活用できる中国の全体主義体制こそが脅威

日本が米国とともに今後対峙（たいじ）していかなければならない中国は、軍事はもちろん経済でも侮れませんが、今や全体主義との親和性の高い最先端の情報技術のフル活用で、恐るべき経済システムの構築へと進んでいます。

かつて、世界の政治や軍事を決めていた戦略分野は、食料や石油などの鉱物資源といった一次産品でした。１９９０年代には金融が戦略分野になりましたが、現在ではそれは何かと言えば、ズバリ、電子データです。今や最大の付加価値の源泉は電子データ。これを国家主導で縦横無尽に活用できる14億人の大国は、大統領選で混乱していた米国を尻目に、新たな国際秩序形成で世界の主導権を握ろうとしています。最近ようやくデジタル人民元やＣＢＤＣ（Central Bank Digital Currency）が日本の報道でも取り上げられるようになりましたが、たとえばデジタル通貨が経済社会に与えるインパクトへの各界の認識はいまだにお粗末なレベル。新政権肝入りのデジタル庁がどこまで未来社会を先取りできるかで日本の命運が決まるかもしれません。

コロナ以前から活発に主張され続けてきたのが、中国の崩壊は間近だという説。私にもそれを支持したい気持ちはありますが、特に保守系の人々には希望的観測に酔いしれる傾向が強いようです。ただ、親中反中の情緒的論議を超えて「知中」の視点からリアリズムに立って冷静に中国をみるならば、少なくとも言われてきたような「崩壊」はいまだ起きておらず、むしろ崩壊とはほど遠い現実が中国にはあることが見えてきます。

確かに、米中摩擦が中国経済を苦しめていますし、米国などが半導体を遮断することで当面は中国の情報産業ビジネスは不調になるかもしれません。しかし、それは逆に、中国をして他国に依存しない独自の技術基盤を確立させる危険が十分にあるのではないでしょうか。自由競争も個人情報保護も関係のない集権体制が手中にするデータエコノミーには、想像を絶するような怖さがあります。だからこそ、ポンペオ前国務長官の演説は、敵は中国という国や国民ではなく、中国共産党そのものにあると名指ししたのでしょう。

全企業のノウハウを国家が共有し、中国自体が巨大ＩｏＴ経済システムになろうとしている

「国防権限法２０１９」のもと、米国が次々と繰り出す技術分断への強硬措置は、この中国の体制のもとでは軍事、経済の両面で米国は勝てないとの危機感の裏返しのように見えます。「中国製造２０２５」で目指されてきたのはハイテク軍事大国。中国は２０１５年に、それまでの武力中心の軍事増強路線をハイテクや知財を中心とする路線へと切り替えました。そのもとで、戦争は目に見えない Silent Invasion の形をとり、先進各国から先端技術を盗取する動きを強めているわけです。

元アクセンチュア代表取締役でＩＴの専門家でもある中国通の海野恵一氏のお話を聞くと、中国ではとんでもないことが起きています。中国では一般庶民の場合、監視社会のおかげで犯罪も暴動も減ったとして習近平を評価する国民が多いと、私も中国の知人から聞いたことがありましたが、ここまでとは……。

「中国のデジタル監視社会は完璧。ＩＤカードがないと生きていけない。自分の住まいにも、それがないと入れない。どこに行ったかもわかる。行っていない者には、コロナの検

査に行ってこいとなる。国民は顔認証でも大喜び。俺の顔が出た、と。データベースに自分のデータを入れて喜んでいる。もともとプライバシーがない国。だから、個人情報を使ってくれよとなる。

政治的に関わらなければ、あんなに気楽な国はない。党の組織をどの会社も大喜びで社内に作る。政府がいいことをしてくれるから。習近平は、民間企業の利益が国家の利益につながるなら何をしてもよい、税金を払ってくれればという方針。その代わり、国家がこういう技術を知りたいとき、何かあったら情報をください、あなたが知りたいなら、他の企業の情報をあげますよ。国家が媒体になって、全中国の企業を束ねて、情報共有をしている。

中国はＩｏＴ（モノのインターネット）が得意。つなぎまくっている。中国には数百万の工場があり、数十億の機器がある。それらを全部つなげて国営企業も何もかも全部シェアする。しかも、ＡＩを使って、こういうことができる工場はどこにある？　で、全てがわかってしまう。そうなったら、どうなる？　信じられないことになる。

こうなると、もう、革命だ。社会を変える。工場だけでない、社会全体でノウハウをシェアして国力を上げていく。情報技術を活用して新しい経済を建設している。共産党政権は全企業のノウハウを国家が共有して、一つのプールにしようとしている。われわれはそういうコンセプトと付き合っていかねばならない。」

新型コロナの給付金を配るのに何か月もかかるお粗末な体制ではとても対抗できない、今後さらにお化けのような巨大システムが現れるかもしれません。

通貨の概念を変える「デジタル人民元」で中国は世界最大のプラットフォーマーに

これまで中国は、米ドル基軸通貨体制にどっぷりと組み込まれてきました。米国などから稼ぐ貿易黒字や海外からの直接投資で流入した米ドルを人民銀行に集中し、国内外から信用のない人民元は、米ドル資産をバックに発行する。このことで中国経済は成長してきました。トランプが対中貿易赤字の削減に狙いを定めたのも、まさにこの点にあります。不公正取引を是正し、低賃金でのダンピング輸出を可能にしているウイグル人などへの人権弾圧を批判し、中国の貿易黒字を減らすことで、貿易黒字で得られる米ドルをバックに生み出されるマネーが経済成長だけでなく軍事増強にも流れている状況を是正する。現に中国は、ドル建て債務の返済に窮するようになっています。米国が制裁措置で香港の米ドルリンクを断てば、中国は通貨面から行き詰まる……。中国もいよいよ崩壊か……。

しかし、この見方は希望的観測に過ぎません。それを示すのがデジタル人民元の動きです。2022年の冬季五輪までの実用化を中国は宣言していますが、右のような通貨・貿易戦争を前に、導入の動きを加速化させています。そもそも信用のない人民元をデジタル化したところでどうしようもない……との声もありますが、これは情報技術に無知な人の楽観論と言ってよいでしょう。

以前から中国は、米ドル基軸通貨体制のもとでの国際的な決済システム「ＳＷＩＦＴ」（国際銀行間通信協会）から追い出される可能性を考え、ドルの貿易決済から人民元の貿易決済へのシフトを進めてきました。2015年には人民元の国際決済システムであるＣＩＰＳ（Cross-Border Interbank Payment System：国際銀行間決済システム）を作り、現在、世界で1000を超えるとも言われる数の銀行が加入しており、日本のメガバンクも参加しています。中国政府は中国の銀行に対し「ドル決済システムを使わないでＣＩＰＳを使え」と指令し、まだ規模は大きくはありませんが、主に「一帯一路」に関係する国との間で使われているようです。

2018年3月には上海に人民元取引の原油先物市場を作り、原油の取引を開始していますが、これは原油ドル決済の国際秩序に真っ向から対抗するもの。2020年にはドル利用をしないよう銀行に指令が出されているようです。中国の貿易額は世界トップですから、米ドル基軸通貨体制に揺らぎをもたらす動きになるかもしれません。こうしたCIPS体制を構築しているからこそ、中国は国家安全法の施行に踏み切れたと見ることもできなくはありません。

そしてデジタル人民元ですが、人民銀行はすでに7年前の2014年から綿密に準備を進め、ブロックチェーンの特許も大量に取得してきました。2020年1月には、基本設計を完了、4月にはアプリやウォレットの整備開発も終えています。5月には深圳(しんせん)など4大都市で試験運用が開始、デジタル人民元での給与支給や用途限定CBDCの運用などが行われ、さらに8月には、中国共産党商務部がデジタル人民元パイロット事業エリアを拡大し、より広範囲でのデジタル人民元の本格的普及を積極的に推進することを発表。事業エリアは、北京～長江デルタ～広東・香港・マカオベイエリアなどに及び、その人口は5億人以上、中国銀行など四大メガバンクも試験運用に参加……。さらに人民銀行は同年10月に、法定通貨の人民元にデジタル通貨も加える法制度を固めました。深圳市は21年の2

月上旬に、帰省せずに市内で春節を迎える計10万人にデジタル人民元を200元（約3300円）ずつ配り、実証実験を行ったようです。

重要なのは、デジタル人民元の仕様です。これまでの通貨の概念を根本的に変えるものになっており、その特性は、カスタムメイド。スマートコントラクトで人間や使途を限定することが可能です。たとえば、特定の人物に対して特定のモノやサービスを購入できないようにすることも可能。言われているのは、すべての硬貨・紙幣を廃止し、デジタル人民元に集中させて個人データを収集、国民監視のツールに使うということ。

デジタル人民元は、発行元に集まる精度の高いビッグデータを解析して活用する仕組みの構築につながりますので、それ自体が新たな付加価値を生みます。GAFAのビジネスモデルをみればわかる通りで、これが資産となって、これをバックにデジタル人民元が発行されることで、人民元の信用力の問題を克服するという設計のようです。

デジタル人民元としてて発行されるCBDCは2種類。一つは国内仕様（監視ツール）。もう一つは国際仕様。後者は国内では使用者が限定され、新たな世界基軸 Digital 通貨になるとも予想されています。前述のCIPSにデジタル人民元を導入すれば、いずれ一帯一路を中心に各国で使用されるかもしれません。

注目すべきは、デジタル人民元の世界戦略とは、中国が従来の国という概念を超えた世界最大の巨大なプラットフォーマー企業になるかもしれないということです。中国の提供するプラットフォーム上で、中国が「デジタル円」や「デジタルユーロ」を発行する。恐るべきシステム構築が現在進行中なのです。これこそ真の静かなる侵略、Silent Invasion かもしれません。

そうなれば、原油取引にもデジタル人民元が導入されるなど、米ドルの圏域が崩されていく。日本もデジタル人民元で決済した中東産原油を、中国が実効支配する南シナ海を経由して輸入する時代になる？　これは決して非現実的な予想ではありません。

Facebook が発表した仮想通貨リブラの動きもあり、自由主義圏の中央銀行も尻に火がついた状態です。既存の国際通貨システムは、送金一つをとっても時間はかかるし手数料は高い。デジタル通貨であれば、たとえばアフリカから欧州に出稼ぎに来ている労働者からの国境を越えた郷里の家族への1ドル相当の送金でも瞬時に可能。その高い利便性は、各国の当局にとってはアンコントローラブルな通貨圏を拡大することになる、手をこまぬいているわけにはいかないということで、中央銀行自らCBDCの研究を本格化させています。

２０２０年１月には欧州中央銀行（ＥＣＢ）や日銀など六つの中央銀行とＢＩＳ（国際決済銀行）が研究グループをつくり、基軸通貨国として当初は保守的だった米国のＦＲＢも途中から参画、昨年10月にＣＢＤＣ報告書をまとめ、次の三つの基本原則を提示しました。それは、

①各中央銀行が政策目標とする物価の安定や金融システムの安定を損なわない
②現金や他のタイプの通貨と共存させる
③決済分野の技術革新や効率性の向上（中央銀行と民間による競争と協調）

これらの原則を共有することで、将来的に国際送金などで連携することを視野に、各中央銀行は合意した共通理解をもとに実証実験に入ります。

このなかで日銀は、ＣＢＤＣの発行計画そのものはなく、実証実験のみであるとしつつ、今後、次の３段階での実験を想定しています。

①発行や流通など通貨に必要な基本機能の検証。

これは技術的な検証で、電子上のお金のやり取りで不具合が起きないか、あるいは発行残高や取引の履歴を記録する方法などを検証するものです。

②金利を付ける、保有できる金額に上限を設けるといった、通貨に求められる機能の実験。

③「パイロット実験」。ここで初めて民間の事業者や消費者が参加します。

デジタル円に熱心な自民党も、所要の法改正（日銀法）を提起しています。

日本は、国民の利便性と福祉の向上のためのデジタル円を

ただ、伝え聞くところでは、日銀としては、いざ各国がCBDCを導入するときに備えて準備は進めるが、本音は、やりたくないということではないでしょうか。ビットコインのような仮想通貨の場合は分散型のパブリックチェーンですが、同じブロックチェーンでも、こうして中央集権的に当局が通貨を発行することとなれば、発行当局に通貨使用者などの膨大なビッグデータが集中し、その管理責任を負わされる日銀はたまったものではないと思います。

しかし、政府であれば、すでにマイナンバー制度という膨大な個人情報のビッグデータを管理運営するシステムが存在します。そこで、デジタル円を日銀ではなく、マイナンバ

ーと結びついたトークンとして政府が発行するというのがＭＭＰ「松田プラン」です。５章で説明しますが、現在私は、スマホにマイナンバーのアプリを入れる新しい仕組みの導入に向け、関係する学者や企業などと連携しながら、政府との調整に関わっています。総務省も大変熱心で、近いうちに実現する流れとなっています。これが、まずは政府や自治体関係のマイナンバーのユースケースが拡大することに寄与するでしょう。

私たちが想定しているのは、さらにその先です。民間のさまざまなサービスとこれが結びつく流れを進めていきたいと考えています。そうなると、多くのサービスで個人をスマホで瞬時に認証できる基盤が確立します。この基盤がＭＭＰと結びついていく。そのときには、前記の政府発行デジタル円のウォレット（財布）をスマホに装着することで、各種のサービスと手続きと支払いが一瞬にしてスマホでできるようになると考えています。

こうなれば、国民各人に各種のプッシュ型の行政サービスを政府が提供することもできるようになるでしょう。将来、政府や自治体の若手職員たちは、これを通じて提供するサービスの利便性や魅力を競い合うようになるかもしれません。中国がデジタル人民元に内装するスマートコントラクトを人民の監視に使うとすれば、日本は逆に、国民の利便性と福祉の向上に使う。

いずれにしても、デジタル通貨は便利な通貨として世界的に普及していくことは間違いありません。それが世界的な流れです。しかし、中国がデジタル通貨の世界的なプラットフォーマーになり、デジタル人民元を日本人も使うようになったら、日本はどうなってしまうのか。

すでに、〇〇ペイと呼ばれるものが日本人の間にどんどん普及しています。聞くところでは、人民元も海外ではデジタル人民元そのものではなく、こうした中国系民間サービスが提供する電子マネーの姿をとる可能性もあるそうです。そうなると、日本人の個人情報が人民銀行を通じて中国共産党に管理されることになる……？　これでは日本へのSilent Invasionそのものになる……？　そうなる前に、利便性の面でデジタル人民元をはるかに凌駕する政府発行デジタル円を導入し、こちらのほうが便利だとして普及させていくことで、日本人の個人情報と通貨主権を守ることが喫緊の課題です。私たちの個人情報が中国政府に管理され、見えざる支配を受けるなどということが現実化してはなりません。

松田 学

第5章

疲弊した日本経済をどう立て直すのか？

ふくらし粉満載、リアルマネーを渋ろうとした？　大型経済対策

新型コロナウイルスで日本経済は大きなダメージを受けました。今は政府の対策が抑えている倒産、破産、民事再生、清算、廃業も、いずれ増えてくる……。すでに休業者や自殺者が増加……。苦難は大きな会社から中小零細企業、個人商店まで、努力を怠ったわけでも自分の責任でもないのに……。それでも医療崩壊を防ぐために、自粛は続けてくれ、3密は避けてくれ、気を緩めないでくれ、家でじっとしていてくれ……そんなことをしている間に、雇い止めで自殺する若い女性、仕送りが止まりアルバイトもできなくなって退学した学生、学校に行けなくて孤立感を深め、うつ病になったり、死を考えたりする中高生が増えました。今回のコロナ禍の被害者には若者が多いことが気になります。

その一方で、金融緩和で大量のマネーが流れ込んだ株式市場は大幅な株価上昇。金融資産に投資できる人々の資産は積み上がっていく。ビットコインで大儲けした人たちが、真っ赤なポルシェを乗り回す……。何かがおかしい。ほとんどの国民が感染から逃れることで躍起になっている一方で、なんという矛盾……そう感じる方々も多かったと思います。

コロナ禍の影響を受けた直後の２０２０年4月～6月のＧＤＰはその前の3か月に比べ

て3割近いマイナス（年率換算）、７月〜９月は前期比2割強のプラスとなったものの、その後、再びマイナスに逆戻り、さて２０２１年は……。

中でも飲食店等の外食産業、旅館等の旅行業、航空・鉄道等の旅客業、デパート等の小売業は、壊滅的なダメージを受けています。これらは3密回避とは真逆でこそ成り立つ商売ですから、３密を避けろという指示が出れば、たちまち窮してしまいます。しかたなく商売の方法を非対面・非接触型に移行せざるをえなくなっていますが、そう簡単にやり方を変えるわけにはいきません。当面は厳しい状態が続くことになる。もう立ち上がれない方もおられるでしょう。本当に気の毒でなりません。

さてこうした事態に、政府も手をこまねいていたわけではなく、緊急に大型経済対策を打ち出しました。しかしその中味はと言うと「ふくらし粉」満載。よくぞここまで膨らませたものだとため息が出たものです。

その「ふくらし粉」の中身ですが、第一次対策の事業規模は史上最大の１０８・２兆円、米国の2兆ドル（２２０兆円）対策がＧＤＰ比10％近くなら、こちらはＧＤＰ比で20％近くもある！

しかし、米国の対策は、そのほとんどが真水、リアルマネーの追加でした。富裕層以外の大人に最大1200ドル、子どもに500ドルを支給して5000億ドル、雇用を維持した企業には返済を免除して融資がタダ金になる中小企業対策3500億ドル……と、わが国の「ふくらし粉予算」とは、かなり様相が異なりました。

108・2兆円の中には、前年度の総合経済対策26兆円のうち未執行分の19・8兆円を含めてしまい、しかも対策の柱の一つ、「雇用の維持と事業の継続」については、事業規模は80兆円にも及ぶのに、その中の財政支出（真水）はたったの22兆円。差額の58兆円とは何かと言うと、納税や社会保険の支払い猶予などで26兆円。支払い免除ではありません。もちろん猶予期間が過ぎれば払わねばならないお金です。当然、支払額は当年度分も含まれるので、猶予された分を足すと、払うときにはほぼ2倍になるわけです。その他、信用保証枠の追加。これも枠の設定であってお金がただちに出るものではないし、これも借りた金は返さねばならない。こうした金融対策や事業の民間負担分なども加算されており、それらはいわゆる真水、リアルマネーではない。

また、当初新たに編成した追加補正予算の規模は16・8兆円、うち、期待された家計への給付金は4兆円、全世帯数5300万のうち収入が減って厳しい状況に置かれた1300万世帯に限定し、30万円を支給するというものでした。しかしながら、手続きが面倒で受け取れるのは夏ごろかもとなり、それでは「うちはアベノマスク２枚だけだった」となる世帯がマジョリティーになってしまう。少なくともこの内容では「自粛せよ」と言われても安心して巣ごもりできない、「自民党は次の選挙で大丈夫か」と不満、不安、批判が相次ぎ、全国民例外なく１人当たり10万円を支給することに変更されました。

私も、細かい制限で時間と手続きの負担をかけて「収入が激減した世帯に限定」する30万円の支給には驚きました。これで全世帯の４分の１だけが対象になるくらいなら、すぐに全世帯に一律10万円を配っても５・３兆円。その後、審査をして困窮世帯に追加で20万円支給しても追加で２・６兆円。合わせて今回の４兆円が８兆円弱になるだけ。米国の55兆円よりもはるかに小さい。今回の事態はどの所得層の国民も、自己責任の範疇を超えた何らかのダメージを受けている。私は、対策の本来の趣旨からして、４兆円弱を渋ったツケは大きくなるのではないかと感じていました。

国家緊急事態のもとで、抑えようもなく増え続ける国債発行額

当時マスコミ等で、全世帯一律の現金給付の考え方に対し、公務員や一部大企業の従業員のように、今回のコロナによる自宅待機で「仕事をしなくても給料は変わらない」層にまで出すのかとの反論が出ました。しかし、そうした層も自粛期間終了後は、それまで抑えられていた消費を一挙に増やそうとするはずで、通常時の給与を上回って手にした給付金で増えた貯蓄は、その財源となって経済回復の原動力になる。この点が「定額給付金は貯蓄に回り、消費に回らなかった」とされる過去の経験とは異なります。

すなわち、一律給付金は困窮世帯については所得ショック対策として、余裕のある世帯については景気対策として機能します。完璧な公平性を目指すあまり所得制限で時間をかけるよりも、メリットはずっと大きいと考えました。

ここで「ふくらし粉」について述べますと、事業規模という文言で見せかけを大きくして実際の財政負担は小さくするという芸当は、昔、私も関わっていたものです。「真水」かそうでないかの神学論争では、私は大蔵省を代表して、当時のエコノミスト集団の経済

企画庁と闘っていました。財政支出とは異なる公的融資は民間融資を代替するものに過ぎず、融資金額を対策の規模に含めるのはおかしいvs公的融資を拡充することで、その金額を上回る新たな民間投資が起こるといった論争です。いずれにしても、往時に比べてパワーがかなり弱ってしまったかつての大蔵省も、少なくともこの点では、いまだ健在のようでした。

いつもの芸当をしてまで、そして給付金の対象を絞ることで、財務省は国債の追加発行額を極力、小さくしたかったのでしょう。ところが、コロナ情勢はその後、第二次、第三次と、２０２０年度の補正予算はさらに2回編成、それによる膨大な国債の追加発行を余儀なくさせました。同年度の新規国債発行額は当初予算では32・６兆円でしたが、これは結局１１２・5兆円へと約80兆円増加し、財投債なども併せた国債発行総額は約１１０兆円も増加することになります。そして、コロナ対策は２０２１年度も続きます。２０２１年度当初予算は前年度の当初予算に比べて約11兆円多い43・６兆円の新規国債の発行が予定されており、将来、税金で返すことになっている普通国債の発行残高は１０００兆円近くに達することになります。これからもまだ、大型の経済対策が追加されるとすれば、もっと膨らむでしょう。

今は戦後未曽有の危機、さすがの財務省も財政規律は棚上げせざるをえないと覚悟したものと思いますが、では、事態が正常化したときに、この国債をどう処理するか、これがいずれ問題になるという見方がマーケットでも台頭しつつあります。財務省も当初、こんな有事の際であっても、国債の追加発行を抑えたいという平時の発想で臨んだのでしょう。給付金を一律10万円としたことで国債の発行はさらに8兆円以上増えることになりましたが、この緊急事態で国債発行を何兆円か渋ることにどんな意味があったのか？

国債を大量発行しても心配しなくてよい理由がある

そもそもなぜ、国債を大量に発行するといけないとされているかというと、短期的には金利の急上昇を招いてしまうからです。しかし、よく考えてみれば、今の局面は国債を増発しても、経済や財政に弊害が起きる状況ではありません。アベノミクスのもとですでに日銀による異次元の金融緩和政策が、第一次の対策を決定した昨年4月においても、7年も続いてきた状況です。その流れで、増発された国債は日銀が買うだけのこと。だから金利は上がりませんし、2％インフレ目標に向けて日銀をサポートすることにもなります。

それまでの7年で日銀が保有する国債は360兆円も増えていました(20年12月末で410兆円と、その後の9か月でさらに50兆円増加)。これまで日銀が年間で80兆円も国債を買っていた年もありましたが、インフレ目標達成の目途はいまだに立たずでした。当時は20兆円程度まで年間購入額は減っていましたから、80兆円との差額の60兆円まで、国債増発の「枠」があったようなものです。そこまで買ってもインフレで困る懸念などありません。そして昨年4月の当時、日銀は国債を無制限に購入する方針まで表明しました。

日銀がお札を刷りまくることが金融緩和だと思っている方が多いですが、誤解です。日銀が国債を買うことで、日銀のバランスシートが膨らんでいるだけのことです。これを政府と日銀を統合したバランスシートでみてみれば、政府の民間に対する借金である国債は、日銀がこれを持つと、日銀当座預金という日銀の帳簿上の負債に変換されます。これが日銀が銀行に対して行うお金の供給なのですが、それは経済を回っている実際のお金、つまり市中マネーではありません。市中マネーがどんどん増えないとインフレにはなりませんが、それは日銀ではなく、民間の銀行が貸付などの信用創造をすることで生まれています。

もう一つ、多くの方々がご存知でないのは、今、申し上げた日銀当座預金は、日銀が市中に返さなければならないお金ではないということです。銀行が日銀からおろして貸付に回したりするお金でもありません。だから、帳簿上の負債と申し上げました。これは日銀が、自ら保有する国債などの資産を売らなければ全体として縮小しないものなのです。

日銀は20年3月末での時点で486兆円と、普通国債の残高の半分以上を持っていましたが、これは、こうした日銀の負債側でみると、民間に対して返済不要なお金になっていますので、事実上、国債の半分が消えていることになります。実は、日本では大きな規模で財政再建が実現しているのです。

国債発行がいけないとされるもう一つの長期的な理由が、財務省が主張するように、将来の世代の返済負担が増えることです。でも、日銀が国債を買うことで国債が消えるなら、この問題も心配不要になります。ただ、そのまま放っておくと、日銀が持っている国債には満期が来ます。そのときには、政府が市中で国債を発行して財源を調達して日銀が持っている国債を返すことになりますから、日銀が持つ国債が減って市中の国債が増えて、さきほどの財政再建効果は元に戻ってしまいます。ここで登場するのが永久国債です。

日銀が持っている国債は、満期が来るたびに、今後市場には売らない前提の、償還期限の定めのない（つまり元本返済の必要のない）永久国債へと乗り換えていけば、財政再建効果は確定します。永久国債に対して政府が日銀に払う金利は国庫納付とすることで、政府にとっては元利ともに国債の負担がなくなり、本当に国債が消えてしまいます。

ただ、これだと拡大した日銀のバランスシートが未来永劫、縮小しないことになります。そこで、将来、政府が暗号通貨として「デジタル円」を発行できるようにして、民間からの求めに応じて、日銀が持っている（永久）国債を償還する形で市中に流通するようにするという「松田プラン」の出番になります。これは国債がお金に変わっていくというマジックのようなもので、日銀のバランスシートはその過程で自然と縮小していきます。その先の説明は、あとで触れたいと思います。

少なくとも、もし、このような計画があったならば、財務省も日銀も後顧の憂いなく、国債の大量増発で今回の危機を乗り切る覚悟がすぐにできたことでしょう。将来の「松田プラン」実施に向けてマイナンバー制度をもっと広げておけば、今回のような事態でも、所得に応じたきめ細かい家計への給付金の支給が、瞬時にできたのにと思います。

なお、菅政権のもとで編成された第三次補正予算について言えば、追加歳出は合計で19・2兆円ですが、うち直接のコロナ対策は4・4兆円と22・9％を占めるに過ぎません。残りはデジタル改革やグリーン社会などポストコロナに向けた経済対策や、防災、減災、国土強靭化など、コロナ対策として必ずしも緊急にやらねばならない対策ではありませんでした。補正予算となると、ここぞとばかり予算要求が出てくることが繰り返されている感があります。

むしろ、コロナの犠牲者のほとんどを占める高齢者の感染源の、そのまた多くを占める高齢者施設や病院に対する感染防止のための設備投資などへの助成など、もっと緊急にやるべきことがあったように思います。社会の活動をとめて時短や休業者への給付金を出すよりも、将来の感染防止にもつながる効果的な予算支出ではなかったでしょうか。

日本に真の危機をもたらすのは事実に正面から向き合わない体質

現在は新型コロナの世界的な危機。誰もがそう思っている。しかしながら実は、今回のコロナの後にもっと大きな危機が来るという指摘もあります。バイデン政権になってから米国はさらに1・9兆ドルもの対策を決めました。さすがに、膨大な国債発行を受けて金利上昇の懸念も生じています。各国とも膨大な債務の処理のために、かなり大きな政治決断が必要になるときがくる……。日本の場合は、その決断が「松田プラン」の採用であれば危機は回避されると思いますが……。

私が指摘したい日本の危機とはコロナウイルスの「リバウンド」とか、ウイルスが次々に変異して新たな変異株を生じさせる「第〇波」のことではありません。

その危機とは、日本人自身が事実（ＦＡＣＴ）から目を背け、事実に真正面から向き合おうとしない危機。たちまち「コロナ脳」となり、無思考状態になる危機。各人が自分の穴に閉じこもったまま、自分で考えず、異論を排し、社会に漂う「空気」に迎合する危機。すなわち、今回の危機で露呈した日本人自身の体質が生み出す危機のことです。

経済という言葉の元の意味は、「経世済民」。世（よ）を経（おさ）め、民（たみ）を済（すく）うこと。指導者のみならず、民もまた危機に対応する精神を保たねばならない。国民自身が危機に冷静かつ科学的に向き合う意志を持つ必要があると思います。

そのことを実感したのが、集団免疫論に対する日本社会の姿勢です。「ファクターＸ」すなわち、京都大学の上久保靖彦先生が安倍前総理に説明した日本が集団免疫状態にあるということに、専門家分科会もメディアも学界主流も行政も正面から向き合わない。エビデンスを示さずに反論する学者もいます。それどころか、無視している人が多い。人口当たり死者数が欧米より桁違いに少ないというのは、Xと言うより、私には「ファクターK」、つまり「神風」に見えます。たまたま東アジア特有の自然免疫と、弱毒性ウイルスに日本人が変異の順番に従ってさらされたことで得られた獲得免疫が、白人からみれば「世界の謎」状態を日本にもたらしたのです。ところが、この「謎」を国民性や衛生習慣、あるいは行動自粛やクラスター対策などの「日本モデル」だと誇る人は多くても、それ以上は突き詰めない。一般人ではない「専門家」たちや学者がそうなのです。しかし、こんなことでは、次に本当に危機的な感染症が襲来すれば、日本はイチコロになりかねません。

無闇にコロナを恐れ、ひたすら逃げ惑い、常識はずれの過剰な対策に疑問を持たず、無用な差別までしてしまう、そして責任を回避しようとする「コロナ脳」。しかし、必要な態度とは、新型コロナに正面から向き合い、科学的に分析、判断して、「謎」を謎としたまま放置しないこと。他国は別として日本の場合、この度の令和の「神風」を上手に活用して、「コロナ脳」からの脱却を図り、独自に国内の経済、文化活動を1日も早く本格回復させることです。そして、今回、機能していなかった危機管理の組み立てを早急に進めることです。地球全体の気候変動が次々と危険なウイルスを生み出しています。次への備えに向けて、今回の事態を日本の危機管理を組み立てるきっかけにすべきです。そのためにも、新型コロナでいったい何が起こっているのか、そろそろ真実に目を向けることが不可欠ではないでしょうか。

ニューノーマル社会は気持ちよい社会なのか？

ここで今回のコロナ経済危機の性格に触れてみますと、実は新型コロナ流行の前年から、世界的な景気後退が起こっていました。当時から世界経済のリスクとされていた米中貿易摩擦やサプライチェーンの分断、債券バブルとも称される過剰債務の問題は、コロナで一層、深刻化しています。たとえワクチンの開発で人為的な集団免疫状態が早期に達成されたとしても、アフターコロナの時点での自律的回復力が経済にあるのかは大きな疑問です。

「危機はいつも違う顔でやって来る」。今回の経済危機もまた、これまでまったくなかった顔で現れました。経済のマクロバランスの崩壊や、リーマンショックのような世界的につながるマーケットが起こした金融危機とは異なり、「周りの人が感染した。それならば自分も感染するかもしれない」という一人ひとりの恐怖の心理が連鎖して経済を縮小させる。恐怖心を毎日毎日、マスメディアが拡大するインフォデミック。その結果、経済の中でも最も大きなウェイトを占め、本来は大きく変動せず安定的に推移するはずの個人消費が打撃を受けました。過去の対策は通用しません。マスメディアが作り出すsocial sentiment、社会的な感情にどう立ち向かうか。解決困難な問題が生じました。

しかも、経済をとめるという初めての事態で最も影響を受けたのが、低賃金部門であるサービス産業。もしニューノーマルと呼ばれる「新常態」の社会になったら、こうしたサービス産業は成立しない。このことの社会的な影響はきわめて大きい。リモート化が進めば「デジタルデバイド」の問題も先鋭化し、生活に窮する人々が増加していきます。逆にGAFAのようなビッグテックは空前の利益と株式時価総額。結果として、コロナ騒ぎが終息しても、「格差拡大」はますます深刻化するでしょう。

そもそも感染症の危機は、全員にとって終わらないと誰にとっても終わらない危機。当面、活動再開で経済指標が前期比ベースではプラスになっても、そのレベルは低いとされています。米国では1・9兆ドルが過剰な対策だ、インフレ懸念もあるなどと言われていますが、需要の規模というよりも、より本質的な意味での経済回復は、結構、いばらの道になりそうです。元に戻るというよりも、新しい経済に生まれ変わる。その成長軌道が本格化するには数年はかかるでしょう。ちなみに、リーマンショックからの回復には6年以上を要しました。加えて、人口構成の変動や気候変動など、先送りされてきた構造的なチャレンジがより一層、迫られるようになっています。人々の行動様式が変わり、戻った状態は風景の違う世界になるでしょう。それが気持ちのいい景色であるとは限りません。

世界中が膨らませた先が見えないマネー

世界中で打たれたコロナ対策はすでに1400兆円以上にのぼるとされます。これは世界第2位の中国のGDPにも匹敵する規模。そのお金はどこに行ったのかと言えば、債券や株式などの金融市場です。そこでも、持つ者と持たざる者、マネーを利用できる人たちと利用できない人たちの間の Social divide（社会格差）が拡大し、社会の分断はさらに進む。世間ではSDGs（Sustainable Development Goals：持続可能な開発目標）が喧伝されていますが、現実は Sustainability（持続可能性）の限界に直面する可能性がありま す。

今回の問題は、企業の売り上げも消費者の所得も瞬間蒸発し、そこに対応したのが財政と金融政策だったこと。それが行く所まで行けば、国有化と公務員化の社会主義国家しかない。それは避けねばならない。どこかで限界がきます。しかしながら、今回ばら撒かれたマネーは「現状維持」だけで、経済をよくする「改善」ではありません。いつやめるか、やめられるのかの問題であり、その時の倒産と生活破綻に、見て見ぬ振りができるのか。将来を見通せないのに、当面の措置で持たせながら改善を期待してきたわけですが、政策と、その結果としての「改善」がつながっていない。従来の経済対策であれば、公共事業はインフラを生み出しましたし、設備投資の支援は生産性を高めました。コロナ対策の多くには、これがありません。

今般、7500億ユーロの巨額のコロナ復興基金を構築するEUが掲げたのは、SDGsとリンクする地球と調和する社会への「グリーンリカバリー」。こうした構想の提示はヨーロッパ人の自家薬籠中とする得意分野です。2050年までに脱炭素社会を目指すという菅総理の所信表明演説にも大きく影響しています。

内向き思考で外から影響ばかりされるのでなく、経済回復を大きな構想の中に入れ込んだ日本発の大発想を提示していきたいものです。世界一の借金大国という財務省の刷り込みが効きすぎて、日本には暗い未来しかないと思っておられる方が大半ですが、他方で日本は世界ダントツ1位をずっと続けてきた対外純資産国です。できることは山ほどある。ないものは「元気」です。閉塞感を打破し、魅力的で現実的な構想を構築できるはずです。いずれにしても、本書で井上先生が述べておられるような正しい知識を国民が共有し、政府が正しい政策に転換すれば、コロナにも終わりが見えてきます。そろそろ次の局面を考えるべきときでしょう。

市中マネーを増やすためには、お金を実体経済に向かわせる政策が必要

さて、コロナ禍はデジタル化などこれまで先送りされてきたさまざまな課題の存在を浮き上がらせましたが、そのなかで意外と論じられていないのが、マクロ経済政策のあり方です。

長年にわたってデフレ経済の克服に向けて採られてきた金融緩和政策には限界があることは、日本でインフレ目標がいまだに達成のめどが立っていないことからもあきらかで

す。そこで、市中マネーを増やす政策として財政拡大のほうに焦点を当てたのがＭＭＴ（現代貨幣理論）ですが、これは「流動性の罠」のときには財政政策が必要だとするケインズ政策そのものでもあります。

今回、コロナ危機への対応ということで各国とも、いわばＭＭＴを実験していると言ってもいいような状態となりましたが、その帰結は？　と言えば、米国では一部にインフレ懸念による金利上昇の予測も出てきました。ただ、日本の場合、実体経済はデフレ色が強まり、株価など資産価格は上昇……といったように、マネーと実体との乖離が進み、格差の拡大とバブルが懸念される状態です。

ここで、財政拡大が市中マネーを増やすメカニズムについて述べますと、国債発行で財政支出を拡大した際に、その国債を投資家が購入した場合は、国と民間との間でお金は行って来いで、市中マネーは増えません。将来、その国債を償還するために増税しても、税金で国に入ったお金は国債保有者に還元されますから、これも市中マネーの量は不変です。

市中マネーが増大するのは、その国債を銀行が購入した場合です。そして、増税によって銀行が保有する国債を償還すれば、市中マネーは縮小して元に戻ってしまいます。（これを元に戻さず、日銀保有国債を民間からの両替需要に応じて政府発行デジタル円で

償還し、これを市中に流通させることで、増えたマネーをマネーのままにするのが「松田プラン」です）

現状では各国とも中央銀行（日銀）が、増大する国債を購入しています。これで日銀の負債である日銀当座預金が増え、その「ポートフォリオ・リバランス」効果で銀行が運用先を増やすことが目指されています。これが日本では「異次元の金融緩和」と言われる政策。

国債で調達された財源で政府が財政支出を今回のように増やしますと、政府からのマネーが民間銀行の預金を、その分、膨らませます。この膨らんだ民間預金が消費などに支出されれば、実体経済を活性化させることになります。しかし、日本の現状がそうであるように、貯蓄として動かないままだと、拡大した日銀当座預金（金利収入を生まない銀行資産）の大量保有に耐えきれない銀行を中心に、金融商品への運用が増えることになります。実体経済が不調であっては、銀行がポートフォリオ・リバランスで貸付を増やそうにも、有為な（金利返済の源泉となる利潤と生産性のある）貸付先が不足しているからです。

結果として、増大した市中マネーが実体経済に向かわない分、資産価格を押し上げる形で格差の拡大とバブルを導くという現象が生じています。

今般のマクロ経済政策上の大きな教訓は、単にマネーを増やすだけの財政拡大では、意味あるマネー拡大にはつながらない、実体経済の拡大によってはじめて実現されるインフレ目標達成もおぼつかないということではないでしょうか。これは教科書の経済理論もエコノミストたちも知恵がおよばない世界。経済以外の分野との思考の結合が問われる問題です。

このように、市中マネーを実体経済に向かわせる政策が伴った財政拡大が必要なのですが、では、それは何なのか。たとえば、個人の消費額の一定比率分だけ期限付きマイナポイントを国民に配布すれば、かなりの消費刺激効果が期待できるでしょう。しかし、それでは短期的な刺激策にとどまります。最近では財政の wise spending 論が言われていますが、それではマクロ的な効果の広がりに限界があります。

もっと中長期的な骨太の政策への転換で、市中マネーの拡大が実体経済の拡大と軌を一にして起こるメカニズムを追求すべきです。それは、財源面で財政が主導する考え方ではあっても、お金を出せば経済が回ると考える新自由主義ではなく、国が民間に直接介入する社会主義でもない、それらを超える新しい考え方ではないか。おそらく、民間主導の新しい経済社会の潮流と一体化させたマクロ経済政策になるのではないかと思います。私はその答えは日本型コミュニティづくりにあるのではないかと考えていますが、それは第6章に譲りたいと思います。

コペルニクス的転回で日本経済を救うＭＭＰ

この章では、そのための長い道程を支えることにもなる「松田プラン」について触れてみたいと思います。「松田プラン」は、すでにこの提案をサポートしていただいている方々の間ではＭＭＰと呼ばれています。ＭＭＴではありません、松田（Ｍ）学（Ｍ）プラン（Ｐ）。この松田学プランが、行き詰まったかのように見える日本の財政経済運営に、コペルニクス的転回でパラダイムシフトを起こします。

詳細な説明はしませんが、少しだけ説明いたします。国債は日銀の無制限の購入方針で、いったん日銀のバランスシートの中に閉じ込められます。国債購入で肥大化した中央銀行のバランスシートは、資産の部は国債で膨らみ、負債の部は、それに対応して日銀当座預金という、銀行に対する莫大な無利子負債が膨らみます（その一部には現在、０・１％のプラス金利、あるいは▲０・１％のマイナス金利が付いています）。これは銀行から見ると、超低金利資産が莫大に積み上がっている状態です。もしも日本が目指しているインフレ率2%目標が達成されると、確実に起こるのが金利の上昇です。このとき、日銀当座預金の金利をどうするのか。それによって、保有資産の大半が超低利の国債の日銀か、資産の多くが日銀当座預金の市中銀行か、いずれかでバランスシートのつじつまが合わなくなり、破綻が起こる可能性が生じます。少なくとも関係者の間ではそう恐れられています。

また、日銀が大量に購入している国債も、いずれ十年満期国債なら10年後までに満期が来て、大量の借換債が発行されます。そのときに経済が正常化していれば、急激な金利上昇が起こって、かつての欧州債務危機を上回る経済破綻が生じかねません。その時点でも依然として現在のような異常な国債大量購入と超低金利が続いていたとすれば、それはそれで大問題。国債は次世代へのツケ。将来の国民は、同じ税金を負担しても国債の返済に充てられる部分が圧倒的に大きくなって、受益と負担との関係で、現在の世代よりも著しい不公平が生じてしまいます。一般国民が負担する税金が国債という資産を保有する者に回るというお金の流れの部分が大きくなるのも、同じ世代の中での不公平の拡大です。

この問題を解決に導くのが、日銀保有国債を市中からの需要に応じて便利な政府発行

「デジタル円」に変換、流通させて、肥大化したバランスシートを自然に縮小させるMMP「松田プラン」なのです。

ＭＭＰは実にシンプル。今の法定通貨であるお札や硬貨を「アナログ円」とすれば、日本政府がもう一つ「デジタル円」という通貨を発行するだけの仕組みです。デジタルといっても、みなさんが日頃使っている「預金通貨」もデジタルと言えばデジタル。銀行が貸し出しのときに預金通帳に電子的に数字を打ち込むことで生まれているのが預金通貨です。これも法定通貨。ＭＭＰで提案しているデジタル円が、現在の法定通貨の仕組みを全部変えてしまうのではありません。

政府がデジタル円を発行し、日銀が購入します。その際、日銀は何で買うか。日銀はお金（日銀にある政府口座への振り込み）の代わりに、自ら大量に保有する国債で買う。あら不思議、どう処理しようかと悩んでいた国債がこれで相殺され、デジタル円に変わります。日銀はこのデジタル円を市中の銀行に卸し（銀行からの需要に応じて銀行に売却、その分、日銀当座預金からの代金引き落としが行われ、日銀のバランスシートは、資産、負債とも縮小）、銀行はみなさんに両替する。政府発行のデジタル円はマイナンバーに結びついており、スマホから税金の振り込みも送金も政府の公共サービスの手続きや支払いもできる（さらに民間の各種サービスとも結びついていくことは第4章で述べました）。コロナの給付金の支給なども、これがあれば所得に応じてきめ細やかに、それも瞬時にできたはずです。

もうおわかりでしょうが、政府がデジタル円を発行することで、大量の国債償還、国の借金返済問題は解消します。国債そのものが減っていくのですから、国債発行残高が多額にのぼることで懸念される将来の金利上昇に財政当局が頭を悩ます必要もありませんし、財政再建問題も解消。政府は、財布の心配をすることなく金融財政政策を行えます。まさに一挙両得三得四得のパラダイム転換、それがMMPなのです。

MMPを政治決断することで日本独自のプラットフォームで繁栄する経済を

最近話題のビットコインなどの仮想通貨（暗号資産）には発行主体がありませんが、デジタル円は日本政府が発行する法定通貨です。日本ではあまり話題になっていませんが、これからはデジタル通貨が主流の時代になるでしょう。

今のところ、デジタル通貨の最先端を行くのが中国。第4章でもお話ししたデジタル人民元の構想は、もはや実験段階から実施段階に移りつつあります。国内はもとよりＣＩＰＳと呼ばれる国際銀行間の決済システムには日本の銀行も参加している。

今後これがさらに範囲を拡大していくと、中国が作り上げた共通の土台や基準であるプラットフォーム上でデジタル円、デジタルドル、デジタルユーロが行き交うことにならざるをえなくなります。ちょうどGoogleやFacebook、Twitter上で世界中の人間がコミュニケーションせざるをえない状況に酷似しています。こうしたプラットフォーマーたちがそこに集められた個人情報を使ってビジネスを展開し、莫大な利益を上げています。

いや、ビジネスの展開ならまだ許せますが、最近では発信された内容を検閲し、言論の自由を抑制するまでになっている。今後大きな問題になると思いますが、もうすでに遅いとの意見もあります。しかしこれを放置してはおけないでしょう。

もしこれが、お金そのものであったらどうでしょうか？　プラットフォームが中国共産党の管理のもとにあるなどということになったらどうなるか。まさかそんなことにならないように、日本政府も日銀もＭＭＰデジタル円構想の実現へと動かねばならないと思っています。

そしてそれを決断できるのは、官僚ではなく、もちろん政治家ですが、相も変わらずスキャンダル追及の攻防に明け暮れているかにみえる国会の状況を見ていると、心から心配になります。ただ、この「松田プラン」を話しても、現状では、中身を理解できる力のある政治家がどれぐらいいるのかという問題もありそうなのですが……。

松田 学

第6章

コロナ禍に翻弄された日本はこれからどうなるのか？

現代日本人に問われ始める「死生観」と哲学

井上正康先生は、コロナ騒動の当初から日本人の「死生観が今、問われている」と言い続けておられます。私もかねてから、近い将来に団塊の世代の方々が亡くなっていく「多死社会」を迎える日本では、日本人の死生観が強く問われることになると考えてきました。確かに、新型コロナは、誰にも訪れる死というものに人々はどう向き合っていくのかという大問題を提起したのではないかと思います。

新型コロナウイルス騒ぎが始まって、もう1年以上が経ちます。他の多くの国々と比べると、日本では感染者も、死者も大変少ない。世界中から「謎」と呼ばれてきているのに、今もまだコロナ恐怖症に囚われている国民が多い。ことに地方ではその傾向が強く、田舎に住む母親の死に目に会えなかった、病気の祖父を見舞いに行けないといった話を、今でも聞きます。

第4章でも述べましたが、日本国民は確かに政府からの要請に素直に従っています。そうした国民の「高い民度」がコロナ拡大を防いだ要因だと言う政治家も、評論家も、国民も多い。しかし、本書でも繰り返し述べられているとおり、科学的に見れば違います。新たな変異株が続々と生まれていますが、いずれ新型コロナも普通の風邪の仲間入りする……。

しかし、こうした意見はまだまだ少数派で、「気を緩めるとリバウンドでまた増える」「最近少し気が緩んではいないか」といった科学的というよりも精神的な態度に言及する人が多いように見えます。夜遅くまで飲んでいてはならない、酒のオーダーは夜7時でストップしろとの指示命令に国民も素直に従ったので、居酒屋は廃業に追い込まれる。若い女性の自殺の増加など、被害ははかりしれません。

いったいいつまでコロナ脳を続けるのか。感染拡大でできる免疫が消えてはまた感染が拡大……そのたびにおびえ続けるのか。いつか人類社会全体が気がつくまで、パニックは続くしかないものなのか。それも持続可能ではないでしょう。怖がっているだけでは人類社会は崩壊してしまいます。そろそろ大転換、パラダイムシフトが必要です。

そのために、まずはこのたびのコロナ騒動を大きくし、先延ばししている「原因」を突き止め、今後も起きてくるであろうパンデミックに落ち着いて対応できる体制の構築のことを考えてみたいと思います。また、これまでと様相を異にするアフターコロナの社会をどう生きていくべきかという点にも触れてみたいと思います。

コロナ脳を捨てないといつまでも「緊急事態」からは脱出できない

2021年3月5日、私は次の文をFacebookにアップしました。

「咲いた、咲いた……この一年、テレビから聞こえてきたのは……『最多、最多……』今度は『下げ止まった』で春の到来は二週間延期……感染者の数字で凍てついてしまったのがコロナ脳……医療現場の心ある関係者の方々から次々と『言えないけれど、その通りです。早く騒ぎが終わってほしい』……。なぜ言えないのか、いまだに不思議ですが……。」

この日の夜、菅総理が記者会見で緊急事態を再延長すると宣言！　正直、驚くとともにがっかりしました。このこと自体が常識的判断力にとっての「緊急事態」だと思ったからです。大地が暖まって、冬眠していた虫が春の訪れを感じ、穴から出てくるとされる啓蟄（けいちつ）のこの日（3月5日）、首都圏4都県の住民は、穴から出ることを止められました。

あきれたことに、首都圏の4都県に対する2週間延長の政策決定の経緯は、耳を疑いたくなるドタバタ劇。延長の可否を決める目安とされてきた客観的指標である「ステージ4」からの脱却は、病床使用率、療養者数、陽性率、1週間の感染者数、感染者数の前週比、感染経路不明者の割合の六つのいずれをみても、延長の事実上の意思決定時点では、達成されていると言っていい状況でした。

ですから菅総理自身は、2月末頃から宣言を解除したがっていたらしい。政府関係者の間でも、延長なんかしてもキリがないというのが本音で、政府内では3月7日をもって宣言を全面解除する方向性が共有されていたことは間違いありません。

ところが、小池都知事ら4都県の知事が2週間を軸に宣言の延長を求める動きが表面化し、その夜、総理は延長へと舵を切りました。3月3日のことでした。総理の頭には、「4都県知事の圧力に押されて1月7日の宣言再発令決定に追い込まれた苦い記憶」があり、「今回も小池知事らの要請を受ける形で方針転換すれば指導力が問われかねない」との懸念から、あえて要請を待たずに表明に踏み切ったとされています。政府内からは「小池氏の術中にはまっただけ。本来なら7日に断固解除すべきだった」との声が上がったとか……。小池都知事の機先を制することが目的の宣言も、都知事が3県の知事を欺いて行動を起こそうとした詭計（きけい）に促されたものだったことも明らかになりました。緑のたぬきに化かされたなどと冗談を言っている場合ではない。

ただ、何事も支持率を気にしている政治を動かしているのは国民世論。日本国民がコロナ脳から脱却し、「ゼロリスク」「ゼロコロナ」神話から卒業しないと、事態はいつまでも収束しません。深刻なコロナ脳を、科学的な感染症の正しい知識で治さねばなりません。医療現場の「わかっている方々」にも、早く声を上げてほしい。やっぱり怖くなかったと実感してほしい。ここにしか解決の道はありません。

日本でのコロナ禍とは、医療界が国民を振り回している問題でもある

しかし、官邸が都知事以上にコントロールできない最大の領域がありました。医療界です。前記の私のＦＢ記事に歴史作家で徳島文理大学教授の八幡和郎（やわたかずお）氏（お父様が開業医でした）が次のコメントを寄せてくれました。

「他の医者が大丈夫でないと言ってるのに、他の医者が大丈夫と言うのは医者同士の仁義に反するということですよ。商売の邪魔しない、恥かかさないということですよ。少し良心的な医者なら間違った診断や措置をされたことを患者に気づかれないようにしつつ方向転換することが正しい医師の道だと言います。『医師全般への信頼』がゆるがないようにすることが一番大事というのが日本の医者が先輩や教授からしっかりたたき込まれる十戒のトップかも。医者でない私のところにも、お医者さんから、『八幡さんの指摘はだいいた

いもっともだが、医師全般への信頼をゆるがすようなことは言わないで欲しい』と要望多し」

私からは、「今回ここまで、医療界が国民全体を振り回していることに多くの国民が批判どころか、応援までしている。日本人は過剰に医師を信頼しているのではないでしょうか」と返しました。

緊急事態宣言から国民がなかなか脱することができない最大の原因と言ってもよいのが、医療逼迫(ひっぱく)の問題でした。問題の根源は医療界にあるのではないか……。

たとえば、東京都では以下のような事例があります。厚労省は2021年2月26日、東京都の示した重要な数字について大幅に下方修正しました。逼迫度を示す重症者病床使用率の統計に重大な誤りがあったためです。国の基準と東京都の基準とでは重症者病床の範囲が異なり、以前の分母は国基準よりも少ない都基準の500床、ところが分子は国基準の数値（？）で、それ自体整合性のない、いかさま数字。その結果過大な数値となっていました。

正しく分母を国基準の1000床と直して分母分子とも国基準に是正されたことで、2月16日時点で「86・2％」としていた数字が、同23日時点で「32・7％」へと大幅に低下しました。この大幅修正について、厚労省や東京都は特段の発表もせず、メディアも指摘するどころか修正に気づかず無視。誤報を繰り返し続けるメディアもあったようです。

聞けば厚労省サイドも、数値の不正確さを1月半ば頃には認識していたが、注釈をつける形で不正確な数値を発表し続け、大手メディアは注釈抜きで「86％」、「113％」といった誤報を繰り返してきた。その最高責任者である東京都知事には何のお咎めもなく、メディアは追及しない。このずさんさ、いい加減さにはあきれるものがあります。

2020年第1回目の緊急事態宣言の頃にも、東京都による過大な陽性率の事件があったようです。安倍総理の某ブレーンからは、厚労省による数字の改竄（かいざん）など、新型コロナをめぐって官邸と厚労省の間にはいろいろな軋轢（あつれき）があることを聞かされました。

厚労省は医系技官の牙城です。彼らの意向に反すると、厚労事務次官とて省をマネージできなくなるとか……。

先送りされてきた課題解決の致命的な遅れでコロナ対応できない日本の医療

日本経済新聞によれば、日本は新型コロナ患者受け入れ病床の割合が欧米の10分の1以下、つまり、コロナ病床／全病床（２０２1年1月下旬）は０・87％に過ぎませんが、英国はこれが22・５％、米国は11・２％です。これには、日本では全国に約８０００の病院が散らばり、個々にコロナ対応を判断していることも影響しています。うち約8割を占める民間病院も中小が多く、コロナ対応をすれば経営が成り立たなくなる病院が多い。

医師も病院勤務医と開業医とでは立場は分かれますが、こうした構造は、長年にわたり医療界のドンとして君臨した武見太郎氏が率いた日本医師会が政治的に医療を聖域化し、開業医を優遇する医療政策が採られてきた結果であると言われています。

もちろん、そこには専門医に偏重した医療教育などがもたらした総合診療医や救急医療人材の不足などさまざまな問題が絡んでいます。重要なのは、この構造の帰結として、他の先進国では常識化した「Hospital とは個々の病院ではなく地域全体を指す」との考え方のもとでの「機能分化と統合」、つまり地域の医療資源を地域全体で事業統合するＩＨＮ（Integrated Healthcare Network）の日本での進展が遅々として進まなかったことが大きく影響していることです。こうした「機能分化と統合」の致命的な遅れが、医療資源の新型コロナへの機動的、弾力的配分を阻んできたと言えるでしょう。

さらに電子データ化の遅れが、これに拍車をかけています。いずれも私が長年にわたり、日本の医療システム改革として訴えてきた課題。医療界や医療行政に深刻な反省を求めるべきではないかと思います。

採算が取れなくても社会的に必要な医療を提供する役割を担うのが、自治体が運営する公立病院です。厚労省の数字では、日本の公立病院約700のうち新型コロナに対応している512病院の受け入れ患者数は3700人で、1病院当たり7人。全国自治体病院協議会の2020年11月時点での調査によれば、コロナ病床数は、回答した416公立病院の11・7万床のうちの約3600床で、3％に過ぎない。

これに対し、感染者数が日本の数十倍のスウェーデンでは、首都の大学病院1600床の3割を新型コロナ対応へ転換し、コロナ以外の疾病は他の病院が受け持つといった分担体制を敷いたそうです。これも日経新聞が報道していたことです。

つまり、日本では新型コロナ対応に向けた医療システム全体のパフォーマンスの低さが目立ち、これが医療崩壊の懸念をもたらし、緊急事態宣言の解除を困難化する元凶となっていました。国民生活を縛り付け、国民に皺寄せがいっている。もちろん、現場で頑張る医療関係者には敬服しています。これは医療の仕組みの側の問題です。

最近になってようやく、医療側の問題を指摘する報道も出てきましたが、医療界が自分たちの問題を社会政策の側に押し付けて、国民全体が振り回される。緊急事態宣言は医療界の指導者たちに対してこそ出すべきではないかと、皮肉の一つも言いたくなります。

欧米に比べて数字が桁違いに少ない日本は、昨年の超過死亡数がマイナスとなった数少ない国であり、しかもそのマイナス幅が世界一という国である日本で、緊急事態？　少なくとも医療崩壊の懸念などというのは、常識的に考えてみれば、日本の医療がよほどダメであることを内外に示していることにならないでしょうか（もちろん、例年もっと多くの患者が発生しているインフルエンザでは日本の医療システムはビクともしなかったわけですから、新型コロナを正しく認識していれば、医療崩壊も緊急事態もなかったことになります）。

私は、長らく日本の医療システムの改革を訴え、平時にこそ非常時の備えをすべきだと言い続けてきましたが、現実は動いてきませんでした。しかし今こそ、医療システム改革のいいチャンスです。アフターコロナ時代に向け、ぜひとも先送りされてきた課題に向き合って、国民のための医療システムを構築していただきたいと、心から願うものです。

日本国民の抜きがたいコロナ脳を作り上げたマスコミの大罪

医療界にコロナ問題の根源の一つがあったとすれば、今回のコロナ騒動で、ある意味最も被害を拡大し国民のコロナ脳化を促進したのは、マスメディアでした。

すでに集団免疫がいったん達成され、日本人のほぼ全員が免疫記憶を持ち、免疫が一定期間後に消えても感染時にIgG抗体がただちに産生されるという、ワクチンを一度接種したのと同じ状態にあることは、もはや実証済みの疑いようのない事実。PCRに代わる検査キット（村上康文・東京理科大学教授が開発済み）による白判定を普及させていくことが日本人を救う道です。ところが、その前提たる集団免疫説がメディアによって封殺されているという意味でも、日本国民はまことに不幸です。

2020年3月に公表された「世界価値観調査」というものがあります。日本は政府に対する信頼度があまり高くないという点では他のG7諸国と変わりないものの、マスコミ（新聞・雑誌）に対する信頼度は70％近くと異様に高い結果（他は30％台以下）になっています。

媒体としての存在感のアピールや視聴率向上のためジャーナリズムが陥りがちなセンセ

ーショナリズムが、国民の不安感を必要以上に煽っています。自社の方針や主張に沿わない事実をほとんど報道しない点もアンフェアであると思います。そもそも視聴者を不安で煽るのはテレビのフォーマットだそうです。そうすることで、また次を見たくなる。こうして視聴者を固定客として取り込んでいく。テレビに出てくるコメンテーターたちも、テレビ局が報じたいような内容をコメントしていることが多いようです。ある有識者が局から声をかけられたとき、自分はこういうことを言うと答えたところ、では結構です……こんな話も聞きます。局の考えどおりにコメントすれば、また次も呼ばれる。まさか売名行為をしたいとか、どこかの利権からお金をもらっているとは考えたくもありませんが。

上久保先生が有名な某テレビ討論番組に出られたとき、他のパネラーから「集団免疫は仮説にすぎない」と言われました。私もその番組に何度か出たことがあるのでよく知っていますが、討論をしても実際に放映されるのは一部だけ、これは面白い、受けるという部分だけに仕上がっています。私は、前述のＩｇＧ抗体に関する検証結果などをコメントするだろうなと思って期待していたのですが、上久保先生が反論しようと口を開きかけたところでカットされていました。のちにご本人に確認したところ、収録の際にはきちんと反論していた、と。これでは、上久保先生は反論できずに終わった、やっぱり……という印象を視聴者に与えかねません。テレビは国民が真実を知ることを妨げている存在なのかと憤りを覚えました。

マスコミへの信頼度が高い人ほど幸福感が薄い

今回のコロナ騒動で、特にテレビを中心とするマスコミ報道に疑問を持つ国民が増えているのではないでしょうか。今後日本人のメディアに対する信頼は大きく失墜するのではないかと思います。内閣府の「生活の質に関する調査」では、『マスコミへの信頼度が高い人ほど幸福感が薄い』という意識調査結果が出ているとか……。これは社会のマイナス面の指摘に偏りがちなマスコミの報道が、自分たちの社会に対する暗い見方を必要以上に増幅するという副産物を生んでいるからだという見方があります。

私の周りでも、テレビのワイドショー番組に対して「つまらない」「くだらない」「いらない」という辛辣な声が聞こえてきます。また、テレビは視聴者の人気が高い有名人は決して叩かないとも聞きます。その典型例が「緑のたぬき」さんという説も……？

私がかつてドイツ滞在から帰国した直後の朝、2年ぶりに日本のテレビを見て驚いたのは、どのチャンネルを回してもワイドショー番組、それも同じ時間帯には三浦ロス殺人事件のことしかやっていない（古い話ですが）。素人に過ぎない芸能人が平気でコメンテーターをしていることにも驚きました。今も同じ光景が展開されています。

すでに若者はインターネットに移行してほとんどテレビを見ない中で、ＩＴ弱者の老人が一日中見ている。新聞はもっと顕著で、若者はほとんど新聞を取っていません。だから高齢者はテレビ・新聞の報道に影響されやすくなります。ある政治家が言っていたのですが、「投票に行くのは高齢者。若者は少ない。だから老人受けする政策に偏る傾向は確かにある」。高齢者はマスメディアの意見に流されるから、結果として政治家はマスメディアを気にせざるをえなくなる。確かに一理あるでしょう。

こうしたマスメディアの影響下で、少なくとも日本で引き起こされたのはパンデミックというよりも、視聴率や部数を求めるマスメディアが「テレビウイルス」？　を撒き散らしたことによるインフォデミックでありました。最近はＳＮＳですら判断基準を示さぬまま検閲を行うケースが増えています。これはコミュニケーションの基盤を提供しているはずのプラットフォーマーとしての立場を逸脱するものではないか、そう感じる人がどんどん増えています。削除されても、どの部分がどう問題だと判断したのか、理由が具体的に開示されない状態では、何度も削除されればアカウント自体が自動的に抹殺となってしまうことを恐れて、発信する側が必要以上に委縮してしまいます。言論の自由に対する弾圧だと言われてもしかたないでしょう。

メディアやプラットフォーマーたちが作り出す「空気」や言論統制によって私たちの思考や科学や医学の発展が妨げられないよう、何が「本当の事実」であるかを自ら考え、判断し、行動することがますます重要になってくる所以(ゆえん)です。われ知らずいつの間にか、ある一つの考えに収斂(しゅうれん)して『1984』の世界に入り込んでいたということにならないよう自分の頭で考える。アフターコロナの時代に、他者から理不尽な支配を受けることなく、自由な社会を維持していくための基本でしょう。

数字と事実に基づいた永江一石氏の正しい指摘を「専門家」はどう聞く?

その上で大事なのは、メディアに出てくる専門家の言うことを過信せず、できるだけ自分でファクトとしての情報を集め、自分の頭で常識に基づいて判断していくことであることを、今回のコロナ騒動は如実に示していると思います。特に新型コロナの場合、世界中にとって初めての事態ですから、最初は誰も本当のことはわからなかったという意味でみんなが素人、「専門家」などいなかったのかもしれません。

いわわる「専門家」たちよりも、統計数字とファクトに着目した素人のほうが事態を正確に捉えていることを示してくれたのが永江一石（いっせき）氏。同氏は以下のように述べています。

「コロナ対策で経済をとめても、感染が減れば経済に良いと医者は言うが、とめた場合の比較衡量を言わねばならないのに、データできちんと誰も言っていない。どれぐらいの損失、自殺者、頭がおかしくなる子ども……リスクの計算をしていない。自殺者が出るということは、一生、精神的なダメージが残っている人がもっとたくさんいることを意味している。精神科医も、緊急事態宣言を出すぐらいのレベルまで来ていると言っている。女性も子供（２倍）も自殺者が急増。子供は鬱が過半数。毎日、死を考えている子が８％。自殺の前は鬱。閉鎖空間で友達に会えず死の恐怖。

緊急事態宣言には感染収束の効果はない。ピークアウトは緊急事態宣言とは関係ないというのは、尾身さんですら、そう言っている。再発令前の１月４～５日が陽性者のピークだった。勝手に増えて、勝手に収束するのがコロナだ。人がどうしたからで抑え込めているわけではない。医者は認めたくないだろうが……。地域による人出の多寡とは無関係に、感染者が減るときにはどこも減少している。

ウイルスの専門家も、初めての事態でわからないことだらけで、打つ手はないと専門家は言えないため、可能性があるということで、マスクとか人の動きなどと言ったのだろう。初期の頃は別として、すでに蔓延(まんえん)してしまってからでは、人の動きは関係がない。このことを世界中が証明してしまった。専門家たちは数理モデルを利用してシミュレーションを何回も外している。ファクトが出ても修正せずに、同じモデルで回しており、PDCAをしていない。

昨年末に向けてＧｏＴｏキャンペーンの中止で、家にいろとなった。1月4〜5日が陽性者数のピークなので、感染からのタイムラグが平均4・7日であることから、感染のピークは年末の家庭内感染だったことになる。感染を食い止めるために、家にいなさいとなったら、感染が爆発して、感染のピークを前に持っていってしまった。それで医療崩壊が懸念される事態となり、そこから緊急事態再発令と言い始めた。

家庭内にとどまるということは、濃密な接触を意味する。ＧｏＴｏは旅館など、徹底的な消毒などの対策が施されているが、家だと緩んでしまう。感染拡大のあとに家庭内にとどまると爆発する。これは、結構、殺人だった。1月4〜5日のピークアウトは、一斉感染の結果、感染する人が減少したからではないか。今の陽性率は3・2〜3・3％で、最も低い水準にある。これ以上、下がらないかも知れない。そうなると、陽性者数を決めるのは検査数。検査数が多いときには上がり、少ないと下がる。陽性率はずっとこのままいくとすれば、いつまでやるのか。

若い人から高齢者にうつす？　無症状者は2種類。発症前の無症状者と発症しない無症状者。後者はうつさない。高齢者の感染の9割は、都内では施設内感染。1・7％しか若者は高齢者と住んでいない。だから、施設内感染をとめる政策をすればいいはずだが、それをしていない。デイサービスでもらってきて、家に帰ってみんなにうつしてしまう。飲食店にお金を使うなら、なぜ施設対策をしないのか。政府がお金を出して、高齢者施設や病院の導線の作り変えをすべきだ。それは今後もずっと効く補助金の使い方になる。

（緊急事態宣言再延長の理由とされた）感染者数の下げ止まり？　曲線は減少率が低下して最低ラインに到達するもの。これは統計学の常識。そうでなければ限りなくマイナスに行く。現状は、もうこれ以上、下がらないことを意味している。陽性率は3％ぐらいはあるということ。これが6月になると、抗体が消えてまた上がる可能性がある。4か月ごとに山が来ているのは、コロナの抗体が消えるからであり、これを繰り返して、だんだん山が小さくなる。あのニューヨークが、今は罹った人の数の割には死んだ人がいない。

ロックダウンによって、かえって死者が増えた。ステイホームでは死者数の減少には役立たずだという論文があちこちで出ている。日本では逆に、ステイホームで増えた。山を前に持ってきて医療崩壊で自宅で亡くなった人が出た。とにかく家にいろ、やめろと何の検証もなく論文も読まずにメディアが言っていた。医療が最も大事な産業であり、守らねばならないのは医療だという本末転倒になった。

ワクチンは重症化しない効果はあるが、感染しなくなるわけではない。欧米はワクチンを打っても日本よりも状態が悪い。向こうは悪すぎるから、改善への糊代があった。日本は同じ比率で効くのかどうか、わからない。日本人は相対比較ができない人が多い。感情で動いている。注目すべきは認知症の方のこと。コロナが治ったのに病院から出られない人が多い。特養は空きがなく、家族も引き取らない。高齢者施設から認知症の方が病院に送られてきたとき、マスクもさせられないし、暴れる。高齢者施設をとめないことには、認知症の人が来ると、とめられなくなる。認知症の方々は閉じ込められない。

高齢者施設の封じ込めがキーポイントなのに、どこもやっていない。高齢者施設と、感染者を出しやすい病院に対策を絞るべきだ。設計からやり直す。それだけで重症者は大きく減る。導線を変える投資は、飲食店に対するお金より、ずっとコスパが高いはず。」

この永江さんの分析に真っ当な反論ができる人がどれぐらいいるでしょうか。特に、GoToトラベルをやめたことが年末の感染拡大の原因になり、緊急事態宣言の再発令につながったという指摘は衝撃的です。まさに、新型コロナについてわかってきていることを踏まえずに「コロナ脳」に流されて、失政が失政を呼び続けている……。

コロナ禍が浮き彫りにしたのは人と人との触れ合いの大切さ

本章の初めにアフターコロナ時代にはパラダイムシフトが必要である、価値観の大転換が必須であると述べました。私の申し上げる大転換とは、政府の分科会などが提言した「新しい生活様式」のようなものではありません。コロナが流行する以前から、高齢化が進む日本社会に兆(きざ)していた「お一人さま化する社会」にどう対応すべきかという問題意識がその根底にあります。しかも孤立化しているのは高齢者ばかりではなく、若い世代もその傾向が強いのです。コロナは若い世代に大きな衝撃を与えていると言ってもよい。

高齢者や基礎疾患を持つ方々のニュースに隠れていますが、コロナ禍が若者たちに大きな影響を及ぼしている現実は意外なほど報道されていません。人間は青少年期に他者との相互作用を通じてアイデンティティを形成します。その最も大切な時期に、彼らは他者との接触を禁じられ、行き場を失い、家に閉じ込められました。そのために大きなストレスを感じている青少年は多く、悲劇的な手段を取るほどまでに追い詰められています。

そもそもコロナ以前から、社会人であっても、自分の周囲には助けてくれる人は誰もいないという意識が強いという傾向がみられました。いつの間にか、日本は過剰な競争社会になっています。子育てでいざというときに面倒を見てくれる友達がいる人がかつての3割から1割台に落ちたと言われています。子供時代から、夕方真っ暗になるまで近所の子供たちと遊ぶという経験がない。こうした世代の特徴として、コミュニケーション能力の欠如、未熟、未発達があります。バッファーのない環境で、いっぱいいっぱいの生活をしている。子供時代に喧嘩の作法を学んでいないから、意見の相違がたちまち対立に発展し、落とし所がわからず、孤立の感情が亢進する。今回はそこにコロナによるストレスがかかって鬱になる。こうしたシーンが増えました。

人間同士の信頼関係は情報交換によって醸成されますが、そのためには一定程度一緒に過ごす時間、環境が条件となります。生身の人間と直接触れ合い、感情を持ったコミュニケーションがあって、はじめて信頼関係ができる。「新しい生活様式」のようなリモートでのネットワークコミュニティでは、信頼関係を結べませんし、かえって孤立感が深まります。政府もコロナ禍で深刻化する孤独・孤立問題に対応するため、内閣府に「孤独・孤立対策担当室」を設置しました。

確かに今後、リモートワーク環境が用意され、密集した状態での働き方は減るかもしれません。すでに本社や事業所を郊外や地方に移す企業が増えています。自宅でリモートワークする社員も増加傾向にあります。社会のデジタル化も進んで、これからは人手がどうしても必要な仕事以外は消滅する方向にあり、そのまま放置すればＩＴ社会における人間疎外が起きるでしょう。そもそもＩＴそのものが、人手を減らし効率性を高めるためのツールですから、自然の理であるとも言えます。それにどう対応すべきでしょうか。

ロボットには「人生いかに生くべきか」を考えることはできないし、ゆっくり向き合って話を聞いてあげることもできません。「人手が減らされて悲しい」のではなく、人間でなければできない仕事を考えればよい。たくさんあります。

私は政府がデジタル庁をつくってまで進めようとしているデジタル革命の根本にある思想は、人間が人間らしく生きる社会をつくることであると捉えています。ブロックチェーン革命が実現する、前述したような利便性の高い社会とは、従来、人生の多くをルーティンワークに追われていた人類をルーティンから解放し、人間にしかできないことに人生の時間を使えるような社会をつくることを意味するものです。

自治体の事務をブロックチェーン化し、トークンを発行すれば、自治体職員は人間にしかできない付加価値の高い行政サービスに時間を使えるようになるでしょう。これからAI革命が進めば、AIではできない人間にしかできない価値創造とは何なのかが問われるようになります。自分は何のために何が幸せで生きているのか、それを考え、自分なりに実現し、それに共鳴する人々が「いいね」で支え合う。そんな「協働型コモンズ」が競争を旨とする資本主義市場経済と並立して存在する時代が来なければならない。それを支えるのが「松田プラン」とはもう一つ異なるタイプのデジタル通貨である。私が拙著『いま知っておきたい「みらいのお金」の話』（2019年、アスコム）で世に問うたことです。

デジタル化する社会に反比例してますますアナログ的な価値が求められる

実は、デジタル化とは、アナログな人間の価値が改めて見直され、それが花開く社会への移行を意味する。私はこれがポストコロナの時代への道筋になるものだと考えています。

これから間違いなく、コロナ禍で起きた事象に対する反動が起きます。田舎の病院にいる病気のお爺さんにも会えるようになる。これまでできなかった分、集まって食事したり、今後のことを話し合ったり、旅行したりする機会が増える。

コロナの状態とは無関係に、デジタル化は進行する。その進行に反比例して、人でなければできないアナログ化が間違いなく進行する。そこに本来の人間的な価値がある。そのための「場」を作るのが大事な課題になってくると予想されます。

たとえば米国の社会学者レイ・オルデンバーグが提唱する「サード・プレイス」、家庭と会社以外の第三の場所のようなものが必要になる。そこはフレンドリーで心地よく、昔からの友人も新たな友人もそこに行けば肩肘張らずに付き合うことができる。家庭と職場の中間にあって、日常生活で出会う地域の人々と、楽しくワイワイやれる場所。新しいコミュニティ、これまでとは違って意識して作る新しい共同体。家族でもない、会社でもない地域のコミュニティ。しかもこうした共同体は日本人にとって初めてのものではありません。むしろ豊かな社会がかつての地域コミュニティを破壊したとも言えます。今後高齢化、孤立化が進むと考えられる中で、地域社会の住民が互いに助け合う共同体の復権とも言えます。

２０２０年の臨時国会で「労働者協同組合法」が成立しました。簡単に言うと、協同労働という考え方に基づいて、地域で生き生きと活躍するために、働く人自身が出資し、経営する組合のための法律。これまで日本のコミュニティは、農村であれ会社であれ、生産がベースになってきました。農村が廃れたり会社でリストラが行われる時代になってくると、人々を結びつける場としての生産活動がなくなり、共同体はたちまち弱体化します。サード・プレイス的な考え方に共鳴する住民たちが新しい形態の地域共同体を創出しようとする営みは、これからの社会の安定や経済の成長のためにも必要です。

18世紀英国保守思想の父、『フランス革命の省察』の著者エドマンド・バークは、国家と個人の中間にあるべき地域の小さな共同体が絶対に必要だと言いました。国家と個人が直接結びつくべきではない。その圧倒的な力の差は、それだけで個人の自由の危機であり、専制政治を誘発する可能性があるためだと述べています。

考えてみますと、戦後の日本社会は歴史的にみて特殊です。日本史上、非常に特異な時代かもしれません。当たり前のように核家族であり、生産の場は大企業中心で、それに中小企業、下請け会社が連なっている。

しかも日本が初めて豊かになった時代でもあります。確かに「失われた30年」とも呼ぶべき長いデフレ期間が続き、さらに現在はコロナによる打撃を受け、経済はよろしくありません。経済格差も拡大している。

しかし、暗い側面ばかりを見ても問題は解決しません。高度成長期に日本は大きく変わっている。飢餓状態もなく、物にあふれ、移動は自由。歴史上、これほど豊かな社会を日本人は経験したことがありません。かつては協力しないと共倒れになるという状況下での道徳がありました。貧しい社会を支える道徳です。しかし、今考えねばならないのは、たとえ格差は拡大しても、豊かな社会においてどう生きがいを追求するかを構築すること。もちろん、長寿化・少子化に伴い、医療費・社会保障費が問題になっていますが、私の提唱するＭＭＰを導入すれば、問題はかなり解決可能になるはずです。

コツコツと協働して仕事をすると生産性が上がる日本人の特性

これから真剣に考えねばならないのは、間違いなく社会の高齢化と独身化であり、多死社会にどう向き合うかという問題です。経済産業研究所の藤和彦さんは、「地方議員たちが、かつてのお節介おばさんのようにコミュニティ・オルガナイザーとして活躍すべきです。かつての日本は、血縁家族以外に居場所がないという社会ではなかった。豊かになったからこうなった。右肩上がりの時代はまだなんとかなった。しかし、これからは団塊ジュニアがきついのです。それに備えて社会を変える必要があります。

血がつながっていないのに共同生活ができるような社会。江戸時代のような社会。日本の伝統に回帰して単身者も安心して生きていける共同体を構築すべきです」。

これからは、お金以上に人の手が大事になる。孤立する人と人を結びつける手です。そのためにも地域の小さな共同体が安定する必要がある。これは個人では作れません。生きがい、つながりを求める場づくりを政策で考えねばなりません。

日本人はコツコツと仕事していると生産性が高い。中小企業は生産性が低いから、より大きな規模へと淘汰して生産性を高めようと言う人がいます。菅総理のアドバイザーであるアトキンソン氏が有名です。これは日本人の特性と日本の歴史を知らない戯言ではないでしょうか。誰かと競争すると生産性が下がるが、協働して取り組むと生産性も上がるし、実に精密で手の込んだ製品を作り上げる。大企業では対応できないニッチの部分でコツコツ……。それにはそれにふさわしい生産体制が必要であり、そこに日本の強さがあったはず。日本が長い低迷期に入っているのは、こうした日本本来の強さを忘れて、あたかも米国流の市場経済主義が正義であると、これも今回のコロナのような一種の洗脳だったかもしれません。ちなみに、これから外資による日本企業のM＆Aが増えるとか……。コロナで利益を得られるもう一つの業界だとされています。

価値観を共有する人々が心の通った共同体を創ることで、多死社会に起きてくる生死の問題を解決していく。闇雲にお金さえ増やせばよいのではない。そのためには、ITには不可能な人間の生き方を根本にさかのぼって考えることです。新しい日本人の死生観に基づいて、人間にしかできないことを考える。それが、パラダイムシフト。その結果、人が生き生きと働ける、経済は結果として活性化することになる。

第5章で、多額のマネーを政策でつぎ込んでも、それが実体経済に回っていない現状は経済のひずみを拡大する一方だと述べました。そして、拡大したマネーが意味を持ってくるためにも、次なる日本に向けた大きな構想が必要だと書きました。その答えが日本型コミュニティづくりにあるように思います。

２０２１年は、東日本大震災、３・11からちょうど10年を迎えた年。今年の３月11日にはみなさま、それぞれの思いを抱かれたと思います。私が「日本新秩序」という政治理念の啓示を天から受けたのも、荒涼たる被災地の光景を目の前にしたときでした。日本は次なる文明づくりを先導すべき歴史的使命を神から与えられている民族なのではないか……。

「神風」に恵まれた日本人の使命とは？

歴史を振り返れば、大災害やパンデミックのあとには新しい文明が台頭してきたとされます。欧州では人口の3分の1が失われたペスト禍のあと、イタリアでルネサンスが勃興しました。新しい文明と言えば、21世紀は、これまでの右肩上がりを前提に各自の利己心で全体最適が達成されるとする西洋文明が、東洋中心の文明へと転換するとされる世紀です。もしかすると、各専門分野に分化して高度に発展を遂げてきた部分最適的な科学技術のあり方にも、大転換が求められているのかもしれません。

戦後は各業界タテ割りの部分最適で発展してきた日本が「災後10年」となった現在、この間も幾多の大災害を経て、今度はコロナのもとで、専門家たちの見解と国民の実感や実体との乖離が起こり、それが不要な精神的フリーズ状態という災禍をもたらしました。そのような日本だからこそ、日本ならではの気づきがあるはず……。素朴な常識に裏付けられたリアリズムに基づきながら、総合的で俯瞰的な大局観のもとに全体最適を目指す「知のルネサンス」を主導する位置に日本はあると考えたいところです。

たまたまテレビで見ていた衆議院本会議での代表質問で某野党代表が「ウィズコロナではなくゼロコロナ」と叫んでいるのを聞いて、わが耳を疑ったものです。よくもまあ、感染症の基礎知識も知らずに国権の最高機関の最も大事な壇上で……。収束とはウイルスや感染がゼロになることではありません。誤解を恐れずに言えば、それは感染が日常化した状態です。私たちは毎年、風邪に罹ります。中には重症化する人も出ますし、亡くなる方もいます。インフルエンザもそうです。新型コロナにはインフルエンザのような検査キットがないのでPCR検査を用いていますが、もし、毎年、感染者が日本で千万人単位で発生するインフルエンザにPCR検査を用いていたら、毎年のように現在以上のパニックになっていたのではないでしょうか。

大事なことは、新型コロナが毎年の風邪のように日常化するまでに私たちの免疫状態が達成されること。少なくとも免疫状態が欧米とは異なる日本の場合は、ステイホームや精神的ストレスで免疫力を低下させるのは、感染対策に逆行するものといえます。常識で考えればわかることがわからなくなっているのも「コロナ脳」なのではないかと思います。

善悪の黒白をつけて、悪は徹底的に退治する。自然は人間が克服すべきものである。これが西洋文明的な発想だとすれば、今回土着コロナで自然免疫が形成されていた東アジア地域は、これとは少し異なる考え方を営んできた地域。これから迎えるのはゼロコロナではなく、ウィズコロナの時代です。前述のような思考のパラダイム転換は、長らく自然との共生を尊ぶ文明を営み、江戸時代には世界に冠たる循環型社会を実現してきた日本だからこそ、その使命を担えるのではないかとも思います。災後10年、こうした考え方で次の文明を主導する日本へと生まれ変わることをもって、3・11の犠牲者の方々への鎮魂とできないものか。

コロナを克服して次の社会モデル作りで世界の新たな文明を先導する。これが、「神風」に恵まれた日本人の使命なのではないかと思います。

長引く緊急事態宣言の影響で日本人の常識が狂った

本書は3月21日をもって緊急事態宣言がようやく明けた直後に執筆しています。振り返ると、緊急事態宣言にはどんな意味があったのか。感染者数を政権支持率と連動させるようにしたのも国民に蔓延した「コロナ脳」。感染者数は緊急事態宣言とは無関係に増減するようになっていますが、政権としては、この数字と政府の対策とを関係づけることで、支持率低迷を打破する以外に道はなかったでしょう。３月の宣言終結もその流れに即するものだったと言えますが、いずれ３～４か月もすれば再び「山」になる可能性も。東京五輪の頃、どうなっているか……。

そうこうしているうちに危惧されるのが、もう一つ別のもっと恐ろしいコロナ脳の蔓延ではないかと懸念します。それはすでに始まっています。

まず、緊急事態宣言を振り返って、懸念されるのが人々の心性への潜在的な影響です。「１人で入ったレストランでコース料理を注文したところ、最初に出てきた食前酒を飲むためにマスクを外したら、店員からマスクを外すなと注意された、理由は、当店は食事の時以外はマスク着用をお願いしている、食前酒は食事の前に出すものなので、まだ食事は始まっていないと。」……これはある高名な日本の有識者がご自身のＦＢにアップしていた内容です。長引く緊急事態宣言のなかで日本人の常識が狂っているようです。最近では、細かいことにも極端な非寛容さが目立つ風潮が日本社会で強まっているという声も聞かれます。

私たちの正常な精神までが何かに侵されている

今回の事態で世界的に起こっていると懸念されるのは、国家が国民生活の一つ一つの所作にまで介入する「統制」ということが日常化し、それに慣れてしまうことで人々の心性に潜在意識のレベルで微妙な変化が生じている可能性があることです。これから人類社会も日本もいろいろな意味での危機管理が問われてくるので、今回は練習だという見方もあるかもしれません。ただ、その際に大事なのは、きちんとした論理による科学的な根拠であり、それに基づく国民への明確な説明と納得感の形成です。こと日本について言えば、ファクトに基づかない非科学的な対策が国民の納得感を伴わず、その状態での理不尽な統制が国民の健全な判断力まで萎(な)えさせているのではないか……。

以下は、ドイツ在住の川口マーン恵美さんのコラムからの引用です。日本と同様、規則には従順に従うドイツ人たちも、国民が大変な目に……。

「ドイツと同じぐらいの感染度の国で、これほど厳しいロックダウンをかけ続けている国は、ヨーロッパには、もうない。イタリアはドイツよりも新規感染者の比率は多いが、レストランはとっくの昔に開いている。(ドイツでは)州によっては、公園のベンチに座ることも、遊歩道の途中で立ち止まることも禁止という厳しさだ。先週末は春を思わせる暖かさで、多くの人が戸外に繰り出したが、ベンチに座って休憩している老夫婦や、ひだまりに座って談笑している若者たちを、見回りの警官や警備員が先に進むように促している光景がニュースで流れた。規則を破ると罰金も取られる。」

「友人や家族と会うことを禁止されている国民や、学校に行けない子どもたちも、もうすでに精神的に限界だ。実施される段階的な解除として、例えば2世帯の大人5人までが集まっても良いことになった（子供は5人の数には含まれない）。しかし、これではまだ、3人兄弟が集まったり、姉妹二人で一人暮らしの親を訪ねたりはできない。子どもたちが家に閉じ込められている弊害の方を警告している教育関係者はすでに多い。ここまでロックダウンが長引いてしまったら、規制が緩和されても生活が正常に戻るまでには長い時間がかかるだろう。」

聞くところでは、お隣のフランスでは、ロックダウン命令をきかない国民が多数だとか。「食べるために働く」ラテン系の人々と、「働くために食べる」として食べ物のことをLebensmittel（直訳すると、生きる手段）と呼ぶドイツ人との国民性の差が出ていて興味深いものがあります。ただ、親しい人たちと楽しく会話しながら食事をするためにこそ働いているのだというのが、人間の本性ではないでしょうか。「黙食」を強いられ、人間としてのあり方まで否定されることを受け容れているうちに、私たちの精神までが何かに侵食されていかないか……。

プラットフォーマーがAIで自由な言論を検閲するディストピアの世の中に

米国ではバイデン氏が大統領になりましたが、トランプ支持者の75％がバイデンが大統領選で正式に選出されたと信じていないだけでなく、バイデン支持者の33％もがバイデンが勝ったと思っていないとする世論調査もあったそうです。トランプ敗北はコロナと、これに乗じた不正の陰謀が原因、それを言えば弾圧するメディアやＳＮＳの偏向に、多くの米国民が気づいているとも聞きます。

これにも関連するものとして触れておきたいことがあります。多くの視聴者にご愛顧をいただいている松田政策研究所チャンネルで、コロナ関係の番組が１か月の間に２本、YouTube側から突然の強制削除を受けました。いずれも井上正康先生がご発言されている番組です。削除理由は「医学的に誤った情報」としか通知されておらず、ご発言のどの箇所がどのような理由で「誤った」と判断されたのかは不明です。そもそも経験によって進歩する医療分野については、何が誤りであるかを判断できる人は地球上に存在しないはずです。神様だけでしょう。本書をお読みになれば、最先端の医学的知識や世界中の研究成果に裏付けられた井上先生のご発言に対する強制削除措置について、読者のみなさまなら強い違和感と異議を感じられるものと思います。

さっそく、多くの方々から削除に対する批判の声が次々と上がっていますが、当チャンネルにまでこうした「弾圧」がされたとなれば、長らく陰謀論をとらなかった私でも、何らかのグローバルな力か利権によって、日本の言論の自由に対する侵害が着々と進行していると考えざるをえなくなってしまいます。当チャンネルがコロナに限らず、幅広い分野の問題や政策課題について社会から求められている公益的な役割を果たしていることに鑑み、その機能を守るためには、みなさまから惜しまれながらも、当チャンネルではコロナに関する医学的な内容はいっさい配信しないこととせざるをえませんでした。なぜなら、当チャンネルとして YouTube のガイドラインに反する意図は毛頭なく、それにもかかわらず、具体的な削除理由がいずれも明示されていないからです。これでは、新型コロナに関して何を発信してよいのか、判断がつきません。

すでに番組削除や、なかにはアカウント閉鎖の措置まで受けてきた発信局は、日本でも多数にのぼります。リアリズムと科学的根拠に基づきながら真面目な発信を続けている当チャンネルまでが……。言論全体を委縮させることを心配しています。

ちなみに、こうしたSNSでの発信内容をチェックしているのはAIだそうです。発言内容を文字化し、特定のキーワードから問題発言を自動判定するアルゴリズムが検閲をしているとか……。果たしてAIに、言葉の細かいニュアンスや裏の意味まで理解できるものなのか、私にはわかりませんが、これって、AIが人間を支配し弾圧するディストピアそのものではないでしょうか。人間の発言内容をAIが監視し、AIの判断によって人間の自由が弾圧される。ジョージ・オウエルの『1984』の世界が、すでにプラットフォーマーたちによって日常化されているといえます。私たちがもはやそんな世界に生きているということも認識しておく必要があるでしょう。

なお、本書の初版校了後の2021年5月2日、YouTube 側から、「再度確認を行った結果、お客様のコンテンツは YouTube のコミュニティガイドラインに違反していないと判断されました。」との通知がメールで届き、削除されていた井上正康先生との対談動画が再び、アップされました。対談内容は本書でも書かれている、まさに国民が共有すべき「医学的に正しい情報」でしたから、これを「医学的に誤った情報」として削除していたこと自体の不当性を自ら正したYouTubeに敬意は表するものの、２月下旬のアップ直後になされた消去から２か月半も経っています。なぜ、このタイミングで急に？

真相はわかりませんが、考えてみれば、この５月２日は、「正論」誌の依頼で私がこの削除事件に関して寄稿した記事が掲載された同誌６月号が発行された日であり、私の記事の見出しは新聞広告にも載っていました。この記事で私は、本書でも述べているように、グローバルプラットフォームに対する国内法規制の立法こそが、国会議員が取り組むべき喫緊の仕事であると書いています。YouTubeにとってこれは面倒なこと。あえて推察すると、YouTube側が問題の所在に気付き、それまではＡＩがアルゴリズムで自動消去していたものを、改めて人間が動画内容をチェックしてみたのかもしれません。

しかし、この２か月半の間、番組を期待していた多くの視聴者がご覧になれなかっただけでなく、削除に伴うYouTube側からの制裁措置で２週間、いかなる番組の配信も禁じられたことなどに伴い、当チャンネルも運営にさまざま支障をきたし、視聴者の皆さまとの間の知の共有に支障が生じてきました。もし前述の推察が当たっているとするならば、これは人間の意思に反して、ＡＩが人間の言論活動や知の共有を勝手に弾圧していたことになります。このケースは、たまたま人間が気付いたからよかったものの、ＡＩが支配するディストピア的な状況がいとも簡単に起こってしまっていることを物語るものではないでしょうか。

右か左かではない「グローバル勢力vs国民国家」という対立軸が明確に

これはさすがにＡＩ判定ではなかったと思いますが、昨年の大統領選のときの大きな話題の一つが、トランプ大統領のＳＮＳアカウントが閉鎖されたことでした。これについて、あのトランプ嫌いのメルケル独首相までが、そうした言論統制に激怒し、規制は法に基づいて行うべきものと述べていました。法と言えば、それを定めて執行するのは国家であり、民主主義によって選ばれた政府です。これは、これからの世界の対立軸を象徴する出来事だったのではないでしょうか。グローバル勢力vs国民国家という対立軸です。

コロナパンデミックが示したのは、グローバリゼーションがどれだけ進んでも、世界の人々にとって最後の拠り所（よりどころ）となっているのは国家であるということでした。加えて、これから求められる国家の機能として「自由社会を守る」ことが浮かび上がったようです。これは従来の多くの日本人の感覚とは逆かもしれません。しかし、世界で起こっているのは、私たちにこうしたパラダイムシフトを強いる深刻な事態です。ここからどうやって日本を守るのか、ことは急ぎます。

アンティファとかBlack Lives Matterなど、今でも世界同時革命的な動きを見せる左翼勢力のことを、批評家の西村幸祐（こうゆう）氏は「共産主義の変異株」と呼んでいます。行き過ぎたポリティカルコレクトネスやキャンセルカルチャーなどの動きにも鑑みれば、かつては「搾取」という言葉が現在は「差別」になったという指摘もあります。「差別」を叫んだ者こそが、国際社会では正義として勝つ。

中国共産党による情報戦、世論戦などの世界各国に対するSilent Invasionが米国にまで及んでいることが、今回の米大統領で明らかになったと指摘されています。そして中国の巨大な市場や膨大な情報にアクセスしたいグローバルプラットフォーマーのＧＡＦＡ……。これに国際金融資本が登場するディープステート論までは私にはわかりませんが、国家というよりも、何らかのグローバル勢力によって、世界が全体主義的な統制へと追い込まれているとする主張の状況証拠には、それを否定しきれないだけの状況証拠があるように思われます。

国家は個人の自由を侵害する存在から個人の自由を守る存在に変わる

国家といっても、特に日本人の場合は、不幸な戦争の歴史のトラウマから、国家とは個人の自由を侵害し、対立する存在だという認識がことさら強いという問題があります。そして、これに対するはずの保守主義は、論壇においても政治勢力としても、戦後、きわめて脆弱（ぜいじゃく）だと言われます。保守主義がまとまりを欠いていた状況を打破しようとしたのが安倍政権でしたが、道半ばに終わりました。

これからの保守主義の主要なテーマは、グローバル勢力から国民の自由と法の支配と民主主義を守るという新たな国家の役割の提起なのかもしれません。そもそも保守主義は国家を大事な価値とする立場です。従来の右か左かという政治からのパラダイムチェンジをもたらす新たな軸が生まれるかもしれません。停滞した日本の政治に新風を吹き込むことになると考えることもできるでしょう。自由社会と法の支配を守るための国家です。

まずは、国民の言論の自由を守るために、ＧＡＦＡとは異なる日本独自の言論プラットフォームを構築すべきでしょう。そもそも日本が、その育成に失敗してきたことが大きな問題でした。ただ、既存のグローバルプラットフォームに比べれば、発信力の差はあまりに大きいという問題があります。ならば、たとえば欧州のように、グローバルなプラットフォームでも国内で使用される以上、その運用は国内法に服させるという方式をとるのも、もう一つの道として考えられるかもしれません。そのための立法も検討課題です。

いずれにしても、公序良俗違反など客観的に見てやむをえない特定の場合には、法に基づいた透明で公正な規制を行う、国家の介入はこうした明確で客観的な基準に基づく場合に限る、それ以外は言論の自由と国民の権利を保障する。そういうルールを、国の責任として確立することが大事です。

日本はコロナ脳から早く目覚め、アフターコロナの文明の担い手としての使命を

菅政権はポストコロナの重点政策としてデジタルとグリーンの二本柱を掲げていることは、２０２１年度政府予算などからもあきらかですが、現在の国際社会の動きのなかで喫

緊の課題になるのは、同じデジタルでも、自由と法の支配を保障するルールに基づいたプラットフォームの構築ではないでしょうか。通貨もそうです。前述のように、中国は近く、デジタル人民元の実用化で世界に新しい通貨プラットフォームを生み出そうとしています。その論理は監視と統制。そうであれば、日本は国民の福利や権利、利便性といった論理で組み立てる。こうして私たちは、中国とは異なる論理の通貨基盤を生み出すことが、日本の国家戦略として一刻の猶予もならない課題だと認識すべきだと思います。

通貨のプラットフォームについては、私は「松田プラン」を提唱しています。まだ詳細はあきらかにできませんが、それをも視野に入れたデジタルアイデンティティ基盤の構築を事業として進めているところです。おそらくこれは、日本発の世界標準になるでしょう。デジタル革命のすべての前提は信頼できる個人認証基盤の確立です。私が携わる事業で、このことが視野に入ってきました。これに基づいて、マイナンバーのスマホでの利用のユースケースを民間の各サービスにも拡大していくことを計画しています。そうなれば、「松田プラン」の実現までは、もうあと一歩。

そして、もう一つ必要になったのが自由で公正な言論のプラットフォーム。

もちろん、こうしたプラットフォームという概念はデジタル分野に限りません。第4章でも触れた、メガ経済圏における経済取引ルールもそうです。日本は世界のルールや秩序づくりで主導的な役割を果たせる立場を、すでに経済面では獲得しています。

以上、私が本書で述べてきたように、アフターコロナに向けて日本が世界を主導すべき「日本新秩序」の課題は山積しています。なぜ、コロナパンデミックの中で日本は「二重の神風」に恵まれたのか。それは、かつてリーマンショック後に中国経済が世界経済の回復を牽引し、その後の「世界の中国化」が本格化しましたが、今回は、アフターコロナの世界秩序を先導するのは決して全体主義の中国であってはならない、今度は日本であるという神の啓示なのかもしれません。そのためにも、日本国民が早く「コロナ脳」から目覚め、世界の課題解決へと、新たな文明の担い手としての使命を果たすために立ち上がってほしいと思います。

私たちにとってコロナは決してこわくなかった……。本書が、その勇気を読者のみなさまに少しでも与える一助になれば幸いです。

参考文献

井上正康

・井上正康『本当はこわくない新型コロナウイルス　最新科学情報から解明する日本コロナの真実』(方丈社).
・厚生労働省ホームページ「新型コロナウイルス感染症について」
https://www.mhlw.go.jp/stf/seisakunitsuite/bunya/0000164708_00001.html
・指定感染症：https://www.mhlw.go.jp/content/10906000/000589260.pdf
・J Taubenberger, The mother of all pandemics. Emerging Infectious Diseases, 12, 15 (2006).
・アルフレッド・W・クロスビー『史上最悪のインフルエンザ：忘れられたパンデミック』(西村秀和訳、みすず書房)
・速水融『日本を襲ったスペイン・インフルエンザ：人類とウイルスの第一次世界戦争』(藤原書店)
・内務省衛生局編』流行性感冒「スペイン風邪」大流行の記録』(平凡社)
・D Kim et al, The architecture of SARS-COV2 transcriptome. Cell,181, 914 (2020).
・C Hsieh et al, Structure-based design of prefusion-stabilized SARS-CoV-2 spikes. Science, 23 Jul 2020, eabd0826.
・P Forster et al, Phylogenetic network analysis of SARS-CoV-2 genomes. Proc Natl Acad Sci, 117, 9241-9243 (2020).
https://www.pnas.org/content/early/2020/04/07/2004999117.
・T Bedford et al, Phylogenetic network analysis of SARS-CoV-2 genomes.
https://nextstrain.org/narratives/HCOV/sit-rep/ja/2020-05-15.
・I Hamming et al, Tissue distribution of ACE2 protein, the functional receptor for SARS coronavirus. J Pathol 203, 631 (2020).
・F Hikmet et al, The protein expression profile of ACE2 in human tissues. Mol Syst Biol. 16:e9610 (2020), https://doi.org/10.15252/msb.20209610
・新型コロナウイルスの世界的感染状況：FT analysis of Johns Hopkins University, CSSE; Worldmeters; FT research.
・日本の死者数が少ない理由：A Iwasaki et al, Why does Japan have so few cases of COVID - 19?, EMBO Mol Med (2020)12:e12481.
https://doi.org/10.15252/emmm.202012481.
・国別行動制限や人口密度と死亡率の関係：
https://youtu.be/izEnzcqt2kY, https://web.sapmed.ac.jp/canmol/coronavirus/death
・新型コロナウイルスによる間質性肺炎と血栓症：Q Xin Long et al, Clinical and immunological assessment of asymptomatic SARS-CoV-2 infections. Nature Med. 26, 1200 (2020). https://doi.org/10.1038/s41591-020-0965-6.
・S Bilaloglu et al, Thrombosis in hospitalized patients with COVID-19 in a New York City Health System. JAMA, July 20, 2020. https://doi.org/10.1001/jama.2020.13372.
・新型コロナウイルス感染の後遺症：A Carfi et al, Persistent symptoms in patients after acute COVID-19. JAMA. 324, 604 (2020).

【新型コロナと免疫反応】

・集団免疫：Wikipedia, Herd immunity
・Y Kamikubo, A Takahashi, Epidemiological Tools that Predict Partial Herd Immunity to SARS Coronavirus 2. medRxiv, https://doi.org/10.1101/2020.03.25.20043679.
・Jose Mateus, et al., Selective and cross-reactive SARS-CoV-2 T cell epitopes in unexposed humans. Science, 370, 89 (2020).
・Nina Le Bert, et al., SARS-CoV-2-specific T cell immunity in cases of COVID-19 and SARS, and uninfected controls, Nature, 584, 457 (2020).

Jennifer M. Dan, et al., Immunological memory to SARS-CoV-2 assessed for up to 8 months after infection. Science, 371, Issue 6529 (2021).
・Julian Braun, Lucie Loyal, SARS-CoV-2-reactive T cells in healthy donors and patients with COVID-19. Nature, 587, 270 (2020).
・P Fine et al, Herd Immunity: A Rough Guide. Clin Infect Dis, 52, 911 (2011).
https://doi.org/10.1093/cid/cir007. https://ja.wikipedia.org/wiki/%E9%9B%86%E5%9B%A3%E5%85%8D%E7%96%AB#/media/%E3%83%95%E3%82%A1%E3%82%A4%E3%83%AB:Herd_immunity.svg
・Q Long et al, Antibody responses to SARS-CoV-2 in patients with COVID-19. Nature Med. 26, 845 (2020), https://www.nature.com/nm.
・J Juno et al, Humoral and circulating follicular helper T cell responses in recovered patients with COVID-19. Nature Medicine (13 July 2020), https://doi.org/10.1038/s41591-020-0995-0
・X Chi et al, A neutralizing human antibody binds to the N-terminal domain of the spike protein of SARS-CoV-2. Science, 22 Jun 2020. eabc6952 DOI: 10.1126/science.abc6952.
・F Ibarrondo et al, Rapid decay of anti-SARS-CoV-2 antibodies in persons with mild Covid-19. NEJM, July 21, 2020. https://www.nejm.org/doi/full/10.1056/NEJMc2025179?query=C19&cid=DM95777_NEJM_Registered_Users_and_InActive&bid=234307007.
・M Netea et al, Defining trained immunity and its role in health and disease. Nature Rev Immunol, 2020 March, https://doi.org/10.1038/s41577-020-0285-6.
・D Weiskopf et al, Phenotype and kinetics of SARS-CoV-2-specific T cells in COVID-19 patients with acute respiratory distress syndrome. Science Immunol, 5, 2071 (2020).
・J Mateus et al, Selective and cross-reactive SARS-CoV-2 T cell epitopes in unexposed humans. Science 4 Aug 2020: eabd3871. DOI: 10.1126/science.abd3871
・DP Fidler, Vaccine nationalism's politics. Science, 369, 749 (2020).
・HH Thorp, A dangerous rush for vaccines. Science, 369, 885 (2020).
Jackson et al., An mRNA Vaccine against SARS-CoV-2. New Eng J Med, https://www.nejm.org/doi/full/10.1056/NEJMoa2022483?query=featured_coronavirus.
Nature, 2020-05-22 doi: 10.1038/d41586-020-00502-w
・Y. Weisblum et al, Mutations in SARS-CoV-2 might help the virus to thwart potent immune molecules. bioRxiv http://doi.org/d439; 2020.
・Q Gao et al, Rapid development of an inactivated vaccine for SARS-CoV-2,
bioRxiv : https://doi.org/10.1101/2020.04.17.046375
・抗体依存性感染増強 (ADE) : Y Wan et al, Molecular Mechanism for Antibody-Dependent Enhancement of Coronavirus Entry. J Virology, DOI: 10.1128/JVI.02015-19
・A Nguyen et al, Human leukocyte antigen susceptibility map for SARS-CoV-2. J Virol, 10, 1128 (2020).
・HLA and Immunogenetics | COVID-19 Consortium. http://www.hlacovid19.org.
・新型コロナウイルスとBCGの関係：S Giovanni et al, https://doi.org/10.1101/2020.03.30.20048165

【PCR 参考文献】

・大橋誠「PCR は RNA ウイルスの検査に使ってはならない」2020（ヒカルランド）.
・Rita Jaafar, et al., Correlation between 3790 quantitative polymerase chain reaction-positive samples and cell positive cell cultures, including 194 1 SARS-CoV2 isolates. Clin. Inf. Diseases, 2020 Sep 28.
・Bhavesh D. Kevadiya, et al., Diagnostics for SARS-CoV-2 infections. Nature Materials, 15 February (2021).

【新型コロナコロナワクチン】

・ワクチンの定義：https://www.nibiohn.go.jp/CVAR/vaccine.html
・井上正康、坂の上零『ワクチン幻想を切る：三日寝てたら治るのに』2021（ヒカルランド）.

・Lindsey R. Baden, et al., Efficacy and Safety of the mRNA-1273 SARS-CoV-2 Vaccine (2020).
・Lance D Johnson , The new mRNA coronavirus vaccines will likely cause immune cells to attack placenta cells, causing female infertility, miscarriage or birth defects. (2020) https://www.naturalnews.com/2020-12-07-mrna-vaccines-may-cause-body-attack-placenta-cells.html
・Structural characterization of the fusion core in syncytin, envelope protein of human endogenous retrovirus family. https://pubmed.ncbi.nlm.nih.gov/15883002/
https://click.aaas.sciencepubs.org/?qs=464b082d0b257ef8d459047a76d94d8951e97ff9c6cfc502c099ad7704f35628263f20c17839a44fa88648474160697fee7586954d48c113
・C. Garrett Rappazzo et al, Broad and potent activity against SARS-like viruses by an engineered human monoclonal antibody. Science, Jan 25 (2021).
・Alexander Muik, et al, Neutralization of SARS-CoV-2 lineage B.1.1.7 pseudo-virus by BNT162b2 vaccine-elicited human sera. Science, Jan (2021).
・Anthony S. Fauci, The story behind COVID-19 vaccines. Science, 372, 109 (2021).
・London Brussels 時事：英当局は、英製薬大手アストラゼネカ社製新型コロナウイルスワクチンが血栓症を発症する可能性があり、これまでに同国で 79 人が血栓症を発症して 19 人が死亡し、100 万人に約４人の割合で発症するリスクがあると発表。これにより EU で不使用となった同社製ワクチンが２月以降は日本に優先的に輸出可能となった (2021 年４月７日)。
・Bloomberg News：豪州やオランダがアストラジェネカ社の新型コロナワクチンの接種対象を 50 歳及び 60 歳以上に限定 (2021 年４月９日 6:44 JST)。

松田 学

・山中泉『「アメリカ」の終わり』（方丈社）
・茂木誠『世界の今を読み解く「政治思想マトリックス」』（PHP）
・藤和彦『日本発　母性資本主義のすすめ：多死社会での「望ましい死に方」』（ミネルヴァ書房）
・門田隆将『疫病 2020』（産経新聞出版）
・スチャリット・バクティ＆カリーナ・ライス『コロナパンデミックは本当か？』（日曜社）
・今井澂『2021 コロナ危機にチャンスをつかむ日本株』（フォレスト出版）
・松田学『TPP 興国論』(KK ロングセラーズ)
・伊藤秀俊、松田学『米中知られざる「仮想通貨」戦争の内幕』(宝島社)
・松田学『いま知っておきたい「みらいのお金」の話』(アスコム)
・松田学『親の金遣いが教育を決める訳』（ギャラクシーブックス）
・松田ブログ　http://ameblo.jp/matsuda-manabu/　より
…松田プランに関しては「政府暗号通貨「松田プラン」」第１回～第８回
…デジタル人民元に関しては「いまや最大の中国脅威論となったデジタル人民元～新たな通貨覇権戦争が開始された～」

井上正康　いのうえ まさやす

大阪市立大学名誉教授

1945年広島県生まれ。1974年岡山大学大学院修了(病理学)。インド・ペルシャ湾航路船医(感染症学)。熊本大学医学部助教授(生化学)。Albert Einstein医科大学客員准教授(内科学)。Tufts大学医学部客員教授(分子生理学)。大阪市立大学医学部教授(分子病態学)。2011年大阪市立大学名誉教授。宮城大学副学長等を歴任。現在、キリン堂ホールディングス取締役、現代適塾・塾長。腸内フローラ移植臨床研究会・FMTクリニック院長。おもな著書に『血管は揉むだけで若返る』(PHP研究所)、『新ミトコンドリア学』(共立出版)、『活性酸素と老化制御』(講談社)、『本当はこわくない新型コロナウイルス』(方丈社)ほか。

松田 学　まつだ まなぶ

松田政策研究所代表　未来社会プロデューサー
元衆議院議員

1981年東京大学経済学部卒、同年大蔵省入省、西ドイツ留学、大蔵本省など霞が関では主として経済財政政策を担当、内閣審議官、財務本省課長、東京医科歯科大学教授等を経て、2010年国政進出のため財務省を退官、2012年衆議院議員、2015年東京大学大学院客員教授。松田政策研究所代表のほか、バサルト株式会社代表取締役社長、ジパングプロジェクト株式会社取締役会長、横浜市立大学客員教授、言論NPO監事、国家基本問題研究所客員研究員、政策科学学会副会長、その他、多数の役職に従事。おもな著書に『TPP興国論』(KKロングセラーズ)、『国力倍増論』『サイバーセキュリティと仮想通貨が日本を救う』(創藝社)、『いま知っておきたい「みらいのお金」の話』(アスコム)ほか。

装丁　八田さつき
撮影　落合星文
DTP　山口良二

新型(しんがた)コロナが本当(ほんとう)にこわくなくなる本

医学・政治・経済の見地から〝コロナ騒動〟を総括する

2021年5月14日　第1版第1刷発行
2021年6月8日　第1版第4刷発行

著者　井上正康　松田 学

発行人　宮下研一
発行所　株式会社方丈社
〒101-0051　東京都千代田区神田神保町1-32 星野ビル2階
tel.03-3518-2272 / fax.03-3518-2273　ホームページ https://hojosha.co.jp

印刷所　中央精版印刷株式会社

ISBN978-4-908925-76-4